Sabine Jentges | Elke Körner | A
Kerstin Reinke | Eveline Schwar

DaF leicht

A2.1

Kurs- und Übungsbuch mit DVD-ROM

Ernst Klett Sprachen
Stuttgart

Gefördert aus Mitteln des
Auswärtigen Amtes der
Bundesrepublik Deutschland

ZfA
Deutsche Auslandsschularbeit
International

Die Symbole bedeuten:

ஃ ஃ   Sie arbeiten zu zweit.

ஃ ஃ ஃ   Sie arbeiten in der Gruppe.

Track 1   Sie hören einen Audio-Track.

Clip 1   Sie sehen einen Grammatik-Clip.

Film 1   Sie sehen einen Landeskunde-Film.

Seite 101   Das sind passende Seiten im Kurs- und Übungsbuch.

1. Auflage 1 ⁵ ⁴ ³ ² ¹ | 2019 18 17 16 15

Autorinnen: Sabine Jentges, Elke Körner, Angelika Lundquist-Mog, Kerstin Reinke (Phonetik),
Eveline Schwarz, Kathrin Sokolowski
Beratung: Virginia Gil, Dietmar Rösler (Grammatik-Clips)

Redaktion: Renate Weber
Redaktionelle Mitarbeit Übungsbuch: Barbara Stenzel, Katharina Heydenreich
Gestaltungskonzeption: Gert Albrecht, Stuttgart; Claudia Stumpfe
Satz: Bettina Herrmann, Stuttgart; Eva Mokhlis, Stuttgart
Illustrationen: Gert Albrecht, Stuttgart
Umschlaggestaltung: Sabine Kaufmann
Reproduktionen: Meyle + Müller, Medien-Management, Pforzheim;
Corinna Rieber, Druckvorstufe, Marbach
Druck und Bindung: Druckerei A. Plenk KG, Berchtesgaden
Printed in Germany

ISBN: 978-3-12-676255-7

DaF leicht
– so geht's:

Zum Einstieg ein Foto und Fragen

- mit rätselhaften Fotos auf die Lektion neugierig machen
- mit ein paar Fragen Vorwissen abrufen und in den Unterricht starten

„DIE FOTOS MACHEN LUST AUF DIE LEKTION!"

Lernziele

- für die Lernenden kommunikativ
- für die Lehrenden fachsprachlich

A	48	B	52
Wahrscheinlich peinlich		**Sich online kennenlernen**	

- → Das war ihm peinlich. Das ist uns unangenehm.
- → Beim Tanzen bin ich glücklich.
- → Ich freue mich. Er schämt sich. Wie fühlst du dich?

- *Kommunikation: über angenehme und unangenehme Erfahrungen berichten; über Gefühle sprechen*
- *Wortschatz: positive und negative Gefühle*
- *Grammatik: Personalpronomen im Dativ; Nominalisierung mit beim; reflexive Verben*
- *Phonetik: stimmhafte und stimmlose S-Laute*
- *Landeskunde: Unterrichtsfach „Glück"; Weltkarte des Glücks*

- → Blaue Augen, lange Haare – er sieht gut aus!
- → Er hat interessante Hobbys.
- → Ich finde eine rote Rose romantisch!

- *Kommunikation: Online-Profile erstellen; persönliche Angaben verstehen; Personen beschreiben; Gefallen ausdrücken*
- *Wortschatz: Informationen zur Person und zum Aussehen; Meinungen ausdrücken*
- *Grammatik: Adjektivdeklination mit Indefinitartikel (Nominativ und Akkusativ)*
- *Phonetik: Satzakzentuierung*
- *Landeskunde: Komplimente in D-A-CH*

Signalfarbe Rot

- die Lernziele zu Lektionsbeginn und auf jeder Seite
- ergänzende Hinweise zu den Aufgaben, wo man sie braucht

10a

Alles neu, alles anders? Was ist passiert? Schreiben Sie.

Die Lernenden notieren zunächst Stichpunkte und schreiben dann einen persönlichen Text. Zeit einplanen.

Waren Sie schon einmal im Ausland? Was war neu für Sie: Land / Familie / Job / Ausbildung / Studium oder Arbeitsplatz? Was ist passiert? Was haben Sie gemacht? Was war neu / komisch / anders / …?

Ich war in einer Familie in der Schweiz. Sie haben Müsli zum Frühstück gegessen. Das war komisch.

Alle Informationen für Lehrende in roter Schrift.

„ALLES AUF EINEN BLICK!"

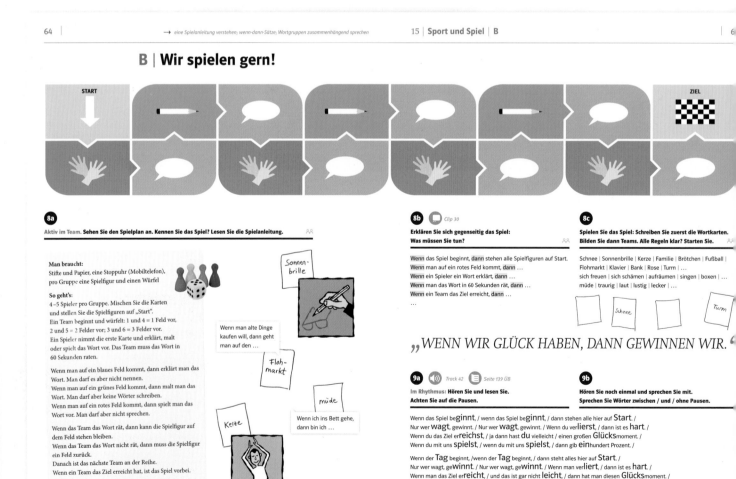

B | Wir spielen gern!

8a

Aktiv im Team. Sehen Sie den Spielplan an. Kennen Sie das Spiel? Lesen Sie die Spielanleitung.

Man braucht:
Stifte und Papier, eine Stoppuhr (Mobiltelefon), pro Gruppe eine Spielfigur und einen Würfel

So geht's:
4–5 Spieler pro Gruppe. Mischen Sie die Karten und stellen Sie die Spielfiguren auf „Start".
Ein Team beginnt und würfelt: 1 und 4 = 1 Feld vor, 2 und 5 = 2 Felder vor; 3 und 6 = 3 Felder vor.
Ein Spieler nimmt die erste Karte und erklärt, malt oder spielt das Wort vor. Das Team muss das Wort in 60 Sekunden raten.

Wenn man auf ein blaues Feld kommt, dann erklärt man das Wort. Man darf es aber nicht nennen.
Wenn man auf ein grünes Feld kommt, dann malt man das Wort. Man darf aber keine Wörter schreiben.
Wenn man auf ein rotes Feld kommt, dann spielt man das Wort vor. Man darf aber nicht sprechen.

Wenn das Team das Wort rät, dann kann die Spielfigur auf dem Feld stehen bleiben.
Wenn das Team das Wort nicht rät, dann muss die Spielfigur ein Feld zurück.
Danach ist das nächste Team an der Reihe.
Wenn ein Team das Ziel erreicht hat, ist das Spiel vorbei.

Viel Glück!

Sonnenbrille

Wenn man alte Dinge kaufen will, dann geht man auf den …

Flohmarkt

müde

Kerze

Wenn ich ins Bett gehe, dann bin ich …

8b Clip 30

Erklären Sie sich gegenseitig das Spiel: Was müssen Sie tun?

Wenn das Spiel beginnt, dann stehen alle Spielfiguren auf Start.
Wenn man auf ein rotes Feld kommt, dann …
Wenn ein Spieler ein Wort erklärt, dann …
Wenn man das Wort in 60 Sekunden rät, dann …
Wenn ein Team das Ziel erreicht, dann …
…

„WENN WIR GLÜCK HABEN, DANN GEWINNEN WIR."

9a Track 42 Seite 139 ÜB

Im Rhythmus: Hören Sie und lesen Sie. Achten Sie auf die Pausen.

Wenn das Spiel be**ginnt**, / wenn das Spiel be**ginnt**, / dann stehen alle hier auf **Start**. /
Nur wer **wagt**, gewinnt. / Nur wer **wagt**, gewinnt. / Wenn du ver**lierst**, / dann ist es **hart**. /
Wenn du das Ziel er**reichst**, / ja dann hast **du** vielleicht / einen großen **Glücks**moment. /
Wenn du mit uns **spielst**, / wenn du mit uns **spielst**, / dann gib **ein**hundert Prozent. /

Wenn der **Tag** beginnt, / wenn der **Tag** beginnt, / dann steht alles hier auf **Start**. /
Nur wer wagt, ge**winnt**. / Nur wer wagt, ge**winnt**. / Wenn man ver**liert**, / dann ist es **hart**. /
Wenn man das Ziel er**reicht**, / und das ist gar nicht **leicht**, / dann hat man diesen **Glücks**moment. /
Wenn du den Tag be**ginnst**, / wenn du den Tag be**ginnst**, / dann gib **ein**hundert Prozent. /
Dann gib **ein**hundert Prozent, / dann gib **ein**hundert Prozent.

8c

Spielen Sie das Spiel: Schreiben Sie zuerst die Wortkarten. Bilden Sie dann Teams. Alle Regeln klar? Starten Sie.

Schnee | Sonnenbrille | Kerze | Familie | Brötchen | Fußball | Flohmarkt | Klavier | Bank | Rose | Turm | …
sich freuen | sich schämen | aufräumen | singen | boxen | …
müde | traurig | laut | lustig | lecker | …

Schnee

Turm

9b

Hören Sie noch einmal und sprechen Sie mit. Sprechen Sie Wörter zwischen / und / ohne Pausen.

Seite 135 ÜB

Bilder und Visualisierungen

- interessante Fotos, witzige Illustrationen
- typische Wendungen in großen Zitaten
- neue Strukturen auf jeder Seite gelb markiert
- unterstützende Visualisierungen zur Grammatik

Peter ist größer als Jan.   Jan ist fast genauso groß wie Lisa.

Auf den ersten Blick sehen, was wichtig ist.

Themen und Texte

- ansprechende Themen, originell aufbereitet
- leichte, kurze Texte, natürliche Dialoge
- ein modernes Bild der deutschsprachigen Länder
- landeskundliche Informationen und Filme in Landeskunde extra

Schön aufgeräumt

Ursus Wehrli ist ein Schweizer Ordnungskünstler: Er räumt Kunst auf. Wie das geht? Er macht Bilder von Kandinsky, Matisse, Klee, … kaputt und ordnet sie neu. Oder er organisiert Alltagsgegenstände einmal anders: eine Portion Pommes frites nach der Größe, eine Buchstabensuppe nach dem ABC, Autos auf einem Parkplatz nach Farben, …

„WIE AUS EINEM MAGAZIN!"

Fokus auf Grammatik

- im authentischen Kontext präsentieren

- auf die neue Struktur fokussieren

- sie bewusst machen und üben

- sie selbstständig anwenden

Grammatik-Clips

Ich mag meine Sprache,

weil sie schön ist,

weil ich sie gut verstehe,

weil wir immer zusammen sin...

weil sie mich immer wieder überrasch...

- Strukturen sehen und verstehen

- Regeln begreifen

- einfach, reduziert, witzig

„GRAMMATIK-LERNEN EINMAL ANDERS! "

Die Grammatik-Clips kann man in der Präsentationsphase flexibel und mehrfach einsetzen.

Rhythmus und Struktur

- Strukturen hören und nachahmen

- Sprechrhythmus spielerisch einüben

- Sprechsicherheit aufbauen

hören, brummen, mitsprechen
hören, brummen, mitsprechen

3a 🔊 Track 20

Im Rhythmus: Hören Sie und lesen Sie.

A: Guten Tag, was hätten Sie gern?
B: Ich hätte gern einen Schal.
A: In Rot oder Grün? Kurz oder lang?
B: Nein, bitte ganz normal.

Die Rhythmusstücke kann man so lange wiederholen, wie es Spaß macht, und mit Gestik unterstützen.

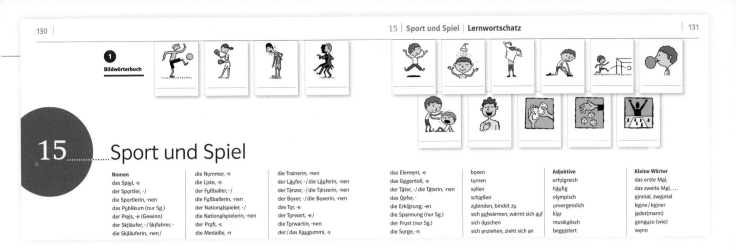

①
Bildwörterbuch

15 .... Sport und Spiel

Nomen				Adjektive	Kleine Wörter
das Spiel, -e	die Nummer, -n	die Trainerin, -nen	das Element, -e	boxen	erfolgreich	das erste Mal,
der Sportler, -/	die Liste, -n	der Läufer, -/die Läuferin, -nen	das Gegenteil, -e	turnen	häufig	das zweite Mal, …
die Sportlerin, -nen	der Fußballer, -/	der Tänzer, -/die Tänzerin, -nen	der Täter, -/die Täterin, -nen	sollen	olympisch	einmal, zweimal
das Publikum (nur Sg.)	die Fußballerin, -nen	der Boxer, -/die Boxerin, -nen	das Opfer, -	schießen	unvergesslich	keine/keiner
der Preis, -e (Gewinn)	der Nationalspieler, -/	das Tor, -e	die Erklärung, -en	zubinden, bindet zu	klar	jeder(mann)
der Skiläufer, -/Skifahrer, -	die Nationalspielerin, -nen	der Torwart, -e/	die Spannung (nur Sg.)	sich aufwärmen, wärmt sich auf	musikalisch	genauso (wie)
die Skiläuferin, -nen/	der Profi, -s	die Torwartin, -nen	der Frust (nur Sg.)	sich duschen	begeistert	wenn
	die Medaille, -n	der/das Kaugummi, -s	die Sorge, -n	sich anziehen, zieht sich an		

Im Übungsbuch lernen und üben

- Lernwortschatz mit Bildern und Tipps

- pro Einheit im Kursbuch eine Seite mit Übungen

- Wortschatz und Grammatik selbstständig üben

- als Hausaufgabe oder für Stillphasen im Unterricht

- eine Seite Schreibtraining:

  Rechtschreibung, kreative und persönliche Texte

- eine Seite Aussprachetraining:

  Einzelphänomene erkennen,

  differenzieren, üben

Hallo, ihr hier!

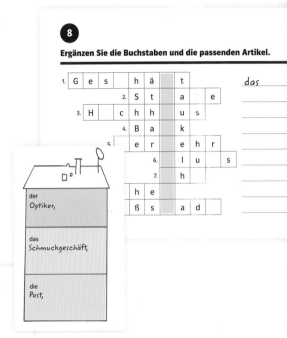

⑧

Ergänzen Sie die Buchstaben und die passenden Artikel.

1. G e s   h ä   t   das
2.   S   t   a   e
3. H   c h h   u s
4.   B a   k
5.   e r   e h r
6.   l u   s
7.   h
         h e
         ß s   a d

der Optiker,
das Schmuckgeschäft,
die Post,

Online wiederholen und testen

- pro Lektion 5 Übungen mit allen

  wichtigen Themen der Lektion

- mit Übungs- und Testmodus

- mit Hilfen/mit Auswertung

  auf www.klett-sprachen.de/dafleicht

DaF leicht A2.1

Audio
 Tracks
 Tracks

Grammatik
 Clips

Landeskunde
 Filme

Medienvielfalt

- alle Audios, Grammatik-Clips und

  Landeskunde-Filme auf der DVD-ROM

- und für Tablets und Smartphones auf

  www.klett-sprachen.de/dafleicht-online

- oder extra im Medienpaket mit

  CDs und DVD

„LERNEN – WANN UND WO MAN WILL!"

Inhalt

Lektion 11 Seite 10	**Lektion 12** Seite 22	**Lektion 13** Seite 34

Das sind wir!

A Wir sind die Band   12

Fragen mit was für ein;
Nebensätze mit weil;
Diphthonge

B WIr sind die Neuen   16

Perfekt Wiederholung;
Perfekt der nicht trennbaren und
trennbaren Verben;
Wortakzent in Verben auf -ieren

Strukturen, Redemittel, Aussprache   20

🖥 *Clip 21–22*

Chaos und Ordnung

A Schön ordentlich!   24

Lokaladverbien;
Nebensätze mit dass; Komparativ;
H-Laut und Vokal am Anfang

B Alles in Ordnung?   28

Wechselpräpositionen mit Dativ und
Akkusativ;
Ang-Laut

Strukturen, Redemittel, Aussprache   32

🖥 *Clip 23–24*

Dies und das

A Einkaufen   36

Konjunktiv II als Chunk (hätte);
Fragepronomen (welcher, welches, welche);
Demonstrativpronomen (dieser, dieses, diese);
Sätze mit deshalb; Konsonantenverbindungen

B Verkaufen   40

Temporalangaben (ab, nach, seit, vor, …);
trennbare und nicht trennbare Verben im Im-
perativ; neue Verben mit Dativ und Akkusativ;
Konsonantenhäufungen

Strukturen, Redemittel, Aussprache   44

🖥 *Clip 25–26*

„*WAS FÜR MUSIK MAGST DU?*"

„*VON HIER OBEN SIEHT DAS COOL AUS!*"

„*ICH HÄTTE GERN EINE CREME.*"

Übungen 11 90	**Übungen 12** 100	**Übungen 13** 110
Schreibtraining 98	Schreibtraining 108	Schreibtraining 118
Aussprachetraining 99	Aussprachetraining 109	Aussprachetraining 119

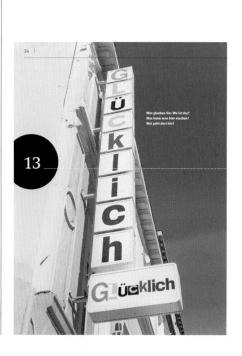

Lektion 14   Seite 46

Gefühle und Kontakte

A Wahrscheinlich peinlich   48

Personalpronomen im Dativ;
Nominalisierung mit beim; reflexive Verben;
stimmhafte und stimmlose S-Laute

B Sich online kennenlernen   52

Adjektivdeklination mit Indefinitartikel
(Nominativ und Akkusativ);
Satzakzentuierung

Strukturen, Redemittel, Aussprache   56

Clip 27–28

„EINE ROTE ROSE, WIE ROMANTISCH."

Übungen 14   120
Schreibtraining   128
Aussprachetraining   129

14

Lektion 15   Seite 58

Sport und Spiel

A Sportlich, sportlich!   60

Superlativ (prädikativ);
Adjektivdeklination mit Definitartikel im
Nominativ; Modalverb sollen;
Sch-Laute (sch, st, sp)

B Wir spielen gern!   64

wenn-dann-Sätze; Adjektivdeklination mit
Definitartikel im Akkusativ und Superlativ;
Wortgruppen zusammenhängend sprechen

Strukturen, Redemittel, Aussprache   68

Clip 29–30

„WIR SIND AM SCHNELLSTEN!"

Übungen 15   130
Schreibtraining   138
Aussprachetraining   139

15

Lansdeskunde extra 3   Seite 70

D-A-CH-Geräusche   70
Filmstationen   72
Transkriptionen   74

Film 11–15

Grammatik im Überblick   75

an

Lösungen / Übungsbuch   140

Quellenangaben   144

11

Wie sind die Leute:
ängstlich / entspannt / lustig / rhythmisch / ... ?
Woher kommen sie? Wohin gehen sie?
Finden Sie einen Titel für das Bild.

Das sind wir!

A   12

Wir sind die Band

→ Was für Musik magst du? Rock, Pop, Hip-Hop
→ Was für ein Instrument spielst du? der Bass, das Klavier, die Flöte
→ Warum gefällt dir die Musik? Die Musik gefällt mir, weil sie fröhlich und rhythmisch ist.
→ Ich lerne Deutsch, weil ich die Sprache mag und nach Deutschland gehe.

• *Kommunikation: über Musik sprechen; ein Interview verstehen; einen Zeitungsartikel lesen; etwas begründen*
• *Wortschatz: Musikinstrumente und Musikstile; Adjektive zur Beschreibung von Musik*
• *Grammatik: Fragen mit was für ein; Nebensätze mit weil*
• *Phonetik: Diphthonge*
• *Landeskunde: eine Band aus D-A-CH; Pop-akademie Mannheim*

B   16

Wir sind die Neuen

→ Die Leute haben über Politik diskutiert. Das hat mich irritiert.
→ In Österreich habe ich meine Freunde besucht und mich verliebt.
→ 1992 bin ich in Deutschland ange-kommen. 2006 habe ich die deutsche Staatsbürgerschaft angenommen.
→ Ich bin am 3. Februar 1990 geboren. Ich bin ledig und mache eine Aus-bildung.

• *Kommunikation: über erste kulturelle Ein-drücke sprechen; Begründungen verstehen; einen Lebenslauf verstehen und schreiben*
• *Wortschatz: Gründe für Migration; Lebenslauf*
• *Grammatik: Perfekt Wiederholung; Perfekt der nicht trennbaren und trennbaren Verben*
• *Phonetik: Wortakzent in Verben auf -ieren*
• *Landeskunde: erste Eindrücke in D-A-CH; ein Migrations-Lebenslauf*

20

Redemittel, Strukturen, Aussprache

A | Wir sind die Band

Hip-Hop

Klavier

Bass

Popmusik

Schlagzeug

Klassik

Saxofon

Gitarre

Flöte

Trompete

Techno

Jazz

Rockmusik

1a

Musik aus D-A-CH. Was denken Sie: Was für Musik macht die Band auf dem Foto? Was für Instrumente spielen sie?

Ich denke, sie machen …   Ich glaube, sie spielen …

1b   Track 1

Hören Sie. Stimmt Ihre Vermutung? Wie finden Sie die Musik?

fröhlich | traurig | rhythmisch | langsam | schnell | laut | leise |
blöd | langweilig | schön

A: Ich finde die Musik schön. Sie ist sehr fröhlich.
B: Mir gefällt sie auch. / Mir gefällt sie nicht. Sie ist …

1c

Was möchten Sie über die Band wissen? Sammeln Sie Fragen.

Wie heißt die Band?
Was für Musik macht sie?
Was für Instrumente spielen die Musiker?
Wer …? Wo …? Woher …? Was …? Wann …?

1d

Lesen Sie den Songtext. Auf welche Fragen finden Sie Antworten? Notieren Sie.

„WAS FÜR MUSIK MAGST DU?"

Hi, das ist unsere Band. Wir heißen LinguaPlus.
Ihr kennt uns nicht? Das geht so nicht, denn das ist ein Muss.
Wir machen Hip-Hop jeden Tag und Rap für junge Leute,
aber auch Workshops zum Deutschlernen - so macht man das heute.
Ihr fragt euch vielleicht: Warum? Na, das weiß doch jedes Kind,
weil Rap-Musik und Spiel mit Sprache so cool sind.
Wir sind 4 bis 5 Rapper und kommen aus Tübingen,
aber ihr lest und hört gleich, wir können überall singen.
Wir - das sind Tobias, Ari, Moritz und Jan,
und ist einmal einer nicht da, dann ist Joe eben dran.
Wir waren in Ägypten, China und sonst auf der Welt,
wir lieben es zu reisen, wir verdienen so unser Geld.
Wir singen viel, wir lachen viel - mal laut und auch mal leise
und freuen uns wirklich schon sehr auf unsere nächste Reise.

2a

Die Band. Lesen Sie das Profil von Jan. Verbinden Sie und schreiben Sie die Informationen in die Tabelle.

Was für einen Beruf hast du?

Was für ein Instrument / Was für Instrumente kannst du spielen?

Was für eine Band / Was für einen Sänger magst du besonders?

Wie heißt du und wie alt bist du?

Wie ist deine Lieblingsmusik?

Was für Musik magst du?

Ich heiße Jan und bin 25 Jahre alt.

Ich mag die Musik von Kendrick Lamar.

Ich mag deutschen und amerikanischen Hip-Hop.

Musik muss rhythmisch und technisch gut sein.

Ich studiere Popmusik.

Ich spiele Klavier.

	Jan	Moritz	Ari	Tobias
Alter				
Beruf / Studienfach				
Musikstil				
Lieblingsmusik ist …				
Musikinstrument	Klavier			
Lieblingsband				

2b

Wählen Sie einen Musiker. Lesen Sie und schreiben Sie die Informationen in die Tabelle.

In Gruppen zu dritt: Jeder ist Experte für ein Bandmitglied, sucht die Informationen im Text und trägt sie in die Tabelle ein.

2c

Wie ist das Profil der anderen Musiker? Fragen Sie und ergänzen Sie gemeinsam das Bandprofil.

Die Gruppe erstellt gemeinsam durch Fragen und Antworten das Bandprofil.

Was für ein Instrument / Was für Instrumente kann er spielen?

Was für einen Beruf hat er?

…

*Ich bin **Moritz** und studiere Musikproduktion. Ich spiele Gitarre. Ich mag die Musik von Flume. Musik muss emotional und bewegend sein und der Stil Pop oder Elektro. Jetzt bin ich 24 Jahre alt.*

*Mein Name ist **Ari** und ich bin 1983 geboren. Von Beruf bin ich Sozialarbeiter. Ich mag Jazz und Reggae. Musik muss laut und langsam sein. Mein Lieblingssänger ist Prince. Ich spiele Drumcomputer.*

*Ich bin **Tobias**, bin 27 Jahre alt und höre gerne die Band Seeed. Die Musik ist laut und fröhlich. Ich mag Pop und Hip-Hop. Ich spiele Geige und Flöte. Ich bin Musikmanager und mache für unsere Band das Management.*

3a

Und Ihr Musikprofil? Fragen Sie einen Kurskollegen, machen Sie Notizen und stellen Sie ihn / sie vor.

3b

Bringen Sie Ihre Lieblingsmusik mit und stellen Sie sie im Kurs vor.

Was für Musik magst du? Wie ist deine Lieblingsmusik?

Wann und wo hörst du Musik? Wie oft?

Kannst du ein Instrument spielen? Was für ein Instrument?

Was für eine Band /

Was für einen Sänger / Was für eine Sängerin

magst du besonders?

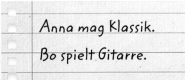

Anna mag Klassik.

Bo spielt Gitarre.

 Seite 92 ÜB

Interview mit Tobias

 4a

Das Interview. **Sehen Sie die Fotos an und lesen Sie.**
Können Sie schon Fragen beantworten? Notieren Sie.

Fragen für das Interview mit Tobias:

1. Studienfach?
2. Künstlername?
3. Wohnort?
4. Warum Studienort Mannheim?
5. Warum Musik und Business?
6. Warum Hip-Hop?
7. Warum keine Instrumente?

 4b *Track 2*

Hören Sie und kontrollieren Sie Ihre Antworten in 4a.

 4c *Clip 21* *Seite 20 KB*

Was antwortet Tobias auf die Warum-Fragen? Verbinden Sie.
Hören Sie das Interview noch einmal. Vergleichen Sie.
Den Hauptsätzen können mehrere weil-Sätze zugeordnet werden.

Ich habe in Mannheim studiert,	weil unser Körper und unsere Stimme Instrumente sind.
	weil es da die Popakademie gibt.
Ich mache Hip-Hop,	weil Musiker auch Geld brauchen.
Ich habe Musik und Business studiert,	weil die Musik einfach gut ist.
	weil Management wichtig ist.
Wir spielen keine Instrumente,	weil mir Hip-Hop gefällt.

„*ICH MACHE HIP-HOP, WEIL DIE MUSIK EINFACH GUT IST.*“

 4d

Wo steht weil und wo das Verb? Markieren Sie.

 4e

Spiel: Interview mit Tobias. Würfeln Sie und stellen Sie
Fragen zu den weil-Antworten.

Spieler A würfelt und stellt die passende Frage zum weil-Satz. Spieler B antwortet und bildet den ganzen Satz. Danach würfelt Spieler B.

A: Warum hast du Musik und Business studiert?
B: Ich habe Musik und Business studiert,
weil Musiker auch Geld brauchen.

- = weil unser Körper und unsere Stimme Instrumente sind.
- = weil es da die Popakademie gibt.
- = weil Musiker auch Geld brauchen.
- = weil die Musik einfach gut ist.
- = weil Management wichtig ist.
- = weil mir Hip-Hop gefällt.

 Seite 93 ÜB

Deutsch lernen mit Rap und Rhythmus

 5a

Hip-Hop unterwegs. Was steht im Text? Kreuzen Sie an.

☐ LinguaPlus war im Jahr 2013 in Ägypten.

☐ Die Band ist viel für das Goethe-Institut unterwegs.

☐ LinguaPlus gibt keine Konzerte. Sie machen nur Workshops.

☐ Im Workshop lernen Schüler und Studenten Deutsch mit Rap und Rhythmus.

 5b

Warum ist Deutsch lernen mit Rhythmus gut? Notieren Sie.

> 1. Man spielt mit der Sprache.
> 2. Mit ...
> 3. ...

 5c

Schreiben Sie weil-Sätze.

Mit Hip-Hop lernt man gut Deutsch. + Man spielt mit der Sprache. =
Mit Hip-Hop lernt man gut Deutsch, weil man mit der Sprache spielt.
Mit Hip-Hop lernt man gut Deutsch, weil

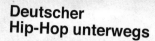 **Deutscher Hip-Hop unterwegs** GOETHE INSTITUT

2012 war LinguaPlus in Ägypten. Und das war nur der Anfang. Danach ist die Band viel für das Goethe-Institut gereist: nach Jordanien, in die Türkei, nach China, nach Kasachstan. Das Besondere: LinguaPlus gibt nicht nur Hip-Hop-Konzerte. Die Band macht auch Workshops mit Schülern und Studenten. Deutsch lernen mit Rap und Rhythmus, das ist bei Deutschlernern und Deutschlehrern beliebt. Denn mit Musik und Sprechgesang kann man super Deutsch lernen. Aber warum lernt man mit Hip-Hop so gut Deutsch? Auf die Frage gibt es viele Antworten. Man spielt mit der Sprache. Mit den Reimen kann man die Wörter gut lernen. Man spricht im Rhythmus und übt so automatisch den Wort- und Satzakzent. Alle sind in Bewegung. Man lernt mit dem ganzen Körper. Das motiviert und macht Spaß!

 6a Track 3 *Seite 21 KB, Seite 99 ÜB*

Diphthonge. Hören Sie und achten Sie auf ei, au und eu.

A: Warum lernt ihr Deutsch?
B: Weil Deutsch heute wichtig ist.
Weil Deutsch lernen richtig ist.
C: Weil Deutsch vielleicht leicht ist.
Weil mein Traum Österreich ist.

D: Weil man Deutsch auch in Wien spricht.
Weil mein Freund aus Berlin ist.
B: Weil Deutsch meistens laut klingt.
Weil meine Band deutsch singt.
C: Weil ich auch die Leute mag.
Weil ich die Sprache mag.

 6b

Hören Sie noch einmal. Sprechen Sie (in Gruppen) mit.
Sprechen Sie so: ei → aiii; au → aooo; eu → oiii.

 *ei ai ao eu oi*

7

weil-Spiel: Warum lernen Sie Deutsch?
Begründen Sie.

Kettenübung: Jemand fängt an. Die nächste Person bildet einen neuen weil-Satz usw.

Musik von Mozart mögen | die Menschen nett finden | Studienplatz in Deutschland haben | eine Reise in die Schweiz machen | ...

A: Ich lerne Deutsch, weil ich nach Deutschland gehe.
B: Ich lerne Deutsch, weil mein Bruder in Deutschland lebt.
C: Ich lerne ...

 Seite 94 ÜB

B | Wir sind die Neuen

8a

Neu in D-A-CH. Sehen Sie die Fotos an. Was kennen Sie? Was überrascht Sie?

1 die Sterne

2 der Blumenkasten

3 das Einzelzimmer

4 der Ehering

5 die Mülltrennung

8b

Lesen Sie die Tagebücher von Lai und Ivan. Welche Fotos passen zu den Texten? Wählen Sie einen Text. Suchen Sie die Wörter und vergleichen Sie.

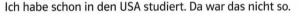

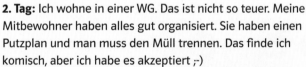

Lai Wang, 27 Studentin aus China

1. Tag: 22.30 Uhr – Wow, ich habe die Sterne (1) gesehen: so nah, so groß, so wunderbar. Und dann die Überraschung: Im Studentenwohnheim habe ich ein Zimmer ganz für mich allein. Ich habe schon in den USA studiert. Da war das nicht so.
2. Tag: Im Zug habe ich laut auf Chinesisch telefoniert. Man darf aber nicht überall telefonieren. Das habe ich nicht gewusst. Es gibt „Ruhezonen". Manche Leute haben auch böse geschaut. Am Abend war ich auf einer Party. Die Leute haben viel über Politik diskutiert. Das hat mich irritiert. Aber dann haben wir Fußball geschaut. Das hat Spaß gemacht.
3. Tag: Heute ist nicht viel passiert. Ich war sehr früh wach. Die Vögel waren so laut. Ich habe einen Brief geschrieben. Den Briefkasten habe ich lange gesucht, der ist gelb in Deutschland und nicht grün. Alles ist anders. Zum Beispiel tragen die Leute den Ehering hier rechts. Komisch!

Ivan, 22 Praktikant aus Bulgarien

1. Tag: Super Start. Mein Kollege ist nett. Er will mir sein altes Fahrrad geben. Einfach so, ohne Geld! Das ist toll. Ich bin schon lange nicht mehr Rad gefahren. Hoffentlich habe ich Zeit. Jeden Tag 8 Stunden Praktikum. Das ist lang.
2. Tag: Ich wohne in einer WG. Das ist nicht so teuer. Meine Mitbewohner haben alles gut organisiert. Sie haben einen Putzplan und man muss den Müll trennen. Das finde ich komisch, aber ich habe es akzeptiert ;-)
3. Tag: Ich bin heute Fahrrad gefahren: 80 km. Mir gefallen die Dörfer. Die Häuser sind bunt und es gibt überall Blumen an den Fenstern. Und vor den Häusern sind oft Hecken oder Zäune. Das sieht nett aus. Aber wo sind die Kinder? Haben die Deutschen keine Kinder? Man sieht viele Radfahrer mit Helm und Sportkleidung. Sind das Profis? Ich trainiere ja auch, aber ich trage Jeans und ein Hemd.

8c

Was war für Lai und Ivan neu und anders? Lesen Sie die Texte noch einmal und notieren Sie.

Das war neu und schön:	Das war anders und komisch:
Lai hat den Sternenhimmel gesehen.	

6 der Helm

7 der Briefkasten

9 der Zaun

10 die Hecke

8 die Ruhezone

 8d

Was glauben Sie: Wie ist die Situation im Heimatland von Lai und Ivan? Vergleichen Sie auch mit Ihrem Land.

Vielleicht tut man das in China nicht. Vielleicht telefoniert man dort laut im Zug. Bei uns telefoniert man …
Vielleicht sieht / macht / kann man in China / Bulgarien … nicht.
Bei uns ist das anders: Man … nicht …
Bei uns ist das genauso.

 8e

Suchen Sie alle Perfektformen in den Texten und sortieren Sie sie.

ge_____t:

ge____en:

_____t:

,, HEUTE IST NICHT
VIEL PASSIERT. *"*

9a 🔊 *Track 4* 📄 *Seite 21 KB, Seite 99 ÜB*

Im Rhythmus: Hören Sie und lesen Sie. Achten Sie auf den Wortakzent in passiert, telefoniert, …

A: Hallo, hallo, **hal**lo! Was ist denn pas**siert**?
B: Ich hab telefo**niert**. Wir haben disku**tiert**. Das hat mich irri**tiert**.
A: Ach **so**? Und **dann**?
B: Sonst ist **nichts** passiert. Nein, sonst ist **nichts** passiert.
A: Na **gut**!
Chor: Telefo**nie**ren, disku**tie**ren, irri**tie**ren – telefo**nie**ren, disku**tie**ren, irri**tie**ren. Nichts pas**siert**! Stopp!

9b

Hören Sie noch einmal und sprechen Sie (in Gruppen) mit.

10a

Alles neu, alles anders? Was ist passiert? Schreiben Sie.

Die Lernenden notieren zunächst Stichpunkte und schreiben dann einen persönlichen Text. Zeit einplanen.

Waren Sie schon einmal im Ausland? Was war neu für Sie: Land / Familie / Job / Ausbildung / Studium oder Arbeitsplatz? Was ist passiert? Was haben Sie gemacht? Was war neu / komisch / anders / … ?

Ich war in einer Familie in der Schweiz. Sie haben Müsli zum Frühstück gegessen. Das war komisch.

10b

**Lesen Sie Ihre Texte vor.
Sprechen Sie über Ihre Erfahrungen.**

📄 *Seite 95 ÜB*

Wer kommt warum?

Wer lebt in Deutschland? Lesen Sie und schreiben Sie die Zahlen in das Schaubild.

In Deutschland leben 80,8 Millionen Menschen. Nicht alle sind Deutsche. 73,2 Millionen Menschen haben einen deutschen Pass. Was ist mit den 7,6 Millionen Menschen? Diese Zuwanderer kommen aus der ganzen Welt. Die Gründe sind ganz unterschiedlich.
Datenquelle: Statistisches Bundesamt Stand 1.9.2014

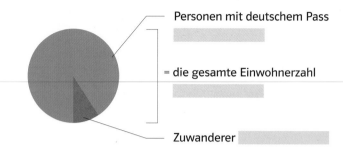

Personen mit deutschem Pass

= die gesamte Einwohnerzahl

Zuwanderer

Warum kommen Menschen nach Deutschland? Sortieren Sie.

in Deutschland Familie haben | Ausbildung machen | Praktikum machen | Au-Pair sein | Asyl beantragen | flüchten, weil im Heimatland Krieg ist | studieren | Saisonarbeiter sein | Austauschprogramm machen | für multinationale Firmen arbeiten | Geld verdienen | heiraten | arbeitslos sein

studieren

  Track 5

Zuwanderer und ihre Gründe. Hören Sie und ordnen Sie zu.

A: Ich habe in Deutschland Arbeit bekommen.
B: Es gibt ein Austauschprogramm mit meiner Uni.
C: Ich bin geflüchtet, weil Krieg ist.
D: Ich habe mich verliebt.
E: Ich habe Geld verdient.
F: Ich habe einen Praktikumsplatz bekommen.

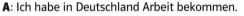

Marco   Lieke   Ela

José   Sami   Kathie

Hören Sie noch einmal und notieren Sie die Antworten auf die Fragen. Vergleichen Sie und markieren Sie die Perfektformen.

Wann hat Ela Geld im Hotel verdient?	*Im Sommer hat Ela im Hotel Geld verdient.*
Wo hat Lieke einen Praktikumsplatz bekommen?	
Wer hat Asyl beantragt?	
Wer hat von einem Austauschprogramm erzählt?	
Wo hat José Arbeit bekommen?	
Wen hat Marco besucht?	

„ICH HABE FREUNDE BESUCHT."

Ins Ausland gehen. Erfinden Sie eine Person.
Schreiben Sie eine Geschichte im Perfekt. Vergleichen Sie.

besucht | gefunden | gearbeitet | geheiratet | bekommen | geblieben | …

Seite 96 ÜB

Ein Lebenslauf

14a

Aris Lebenslauf. Lesen Sie und ordnen Sie die Sätze.
Zu welchen Sätzen gibt es Fotos?

Mein Künstlername ist Ari Chicago.
Ich bin 1983 in Zenica, Bosnien geboren.
In Bosnien bin ich nur 3 Jahre zur Schule gegangen.
Ich spiele auch in einer Band. Wir sind in vielen Ländern aufgetreten.
Ich habe eine Ausbildung als Sozialarbeiter abgeschlossen.
Meine Muttersprache ist Bosnisch, meine „Vatersprache" Albanisch.
Deutsch habe ich erst mit 9 Jahren in der Schule gelernt.
1992 ist meine Familie nach Deutschland geflüchtet.
Zuerst haben wir in Ulm in einem Asylantenheim gewohnt.
Dann sind wir nach Tübingen umgezogen.
1999 habe ich die deutsche Staatsbürgerschaft angenommen.
2006 habe ich einen Job als Sozialarbeiter gefunden.
Ich heiße Arian Bicaj und ich bin ledig.

14b   Clip 22   Seite 21 KB

Was ist richtig? Kreuzen Sie an.

☐ Ari hat eine Ausbildung als Busfahrer abgeschlossen.
☐ Die Familie ist nach Tübingen umgezogen.
☐ Er hat die deutsche Staatsbürgerschaft nicht angenommen.
☐ Mit der Band ist er in vielen Ländern aufgetreten.

„*ICH BIN SCHON OFT UMGEZOGEN.*"

14c

Schreiben Sie Aris Lebenslauf. Die Infinitive helfen.

Ich heiße Arian Bicaj und ich bin ledig. Mein Künstlername ist
Ari Chicago. Ich bin 1983 in Zenica, Bosnien geboren.

gehen
flüchten
wohnen
umziehen
lernen
annehmen
abschließen
finden
auftreten

15

Ihr Lebenslauf. Notieren Sie.

Geburtsdatum / Geburtsort:
Ich bin am … in … geboren.
Familienstand:
Ich bin … (ledig / verheiratet / geschieden).
Staatsangehörigkeit: …
Schule:
Ich … in … zur … (Schule gehen).
Ausbildung / Studium:
Ich … in … (was?) … (studieren / Ausbildung abschließen).

Seite 97 ÜB

REDEMITTEL

Über Musik sprechen

Was für Musik magst du? Ich mag Rock und Pop, aber auch Hip-Hop.
Die Musik ist fröhlich / traurig / rhythmisch / laut / leise / …
Was für eine Band / Was für einen Sänger / Was für eine Sängerin magst du besonders?
Meine Lieblingsband heißt …
Was für ein Instrument kannst du spielen? Ich spiele Klavier, Flöte, Gitarre, …

Einen Lebenslauf schreiben

Geburtsdatum, Geburtsort: Ich bin am … in … geboren.
Wohnort: Köln / Linz / …, Deutschland / Österreich / …
Familienstand: ledig / verheiratet / geschieden
Staatsangehörigkeit: deutsch / österreichisch / …
Ausbildung: Ich habe ein Studium in Wirtschaft / … abgeschlossen. /
Ich habe eine Ausbildung als Koch / … gemacht.

Über kulturelle Erfahrungen sprechen

Das ist in Deutschland genauso / anders.
Das ist neu und schön.
Das ist komisch. / Das irritiert mich.
Das tut man bei uns nicht.

Entscheidungen begründen

Warum lernst du Deutsch? Ich lerne Deutsch, weil ich gerne Sprachen lerne.
Du lernst Deutsch, weil du eine Arbeit in Österreich suchst.
Sie lernt Deutsch, weil sie einen Studienplatz bekommen hat.

STRUKTUREN

Was für ein?

Was für Musik magst du?
Was für einen Sänger / Was für eine Sängerin magst du besonders?
Was für ein Instrument kannst du spielen?

Sätze verbinden: Nebensätze mit weil Clip 21

Ich lerne Deutsch. + Ich gehe nach Deutschland. = Ich lerne Deutsch, weil ich nach Deutschland gehe.

Hauptsatz	Nebensatz
Ich lerne Deutsch,	weil meine Großeltern aus Österreich kommen.
Ich lerne Deutsch,	weil ich nach Deutschland gehe.

Zwischen Haupt- und Nebensatz steht ein Komma. Das Verb steht im weil-Satz am Ende.

STRUKTUREN

Partizip II der nicht trennbaren Verben   Clip 22

____t	____en
Er hat mich in Deutschland besucht.	Ich habe den Job bekommen.
Sie hat viel erzählt.	Ich habe nichts verstanden.
Du hast wenig verdient.	

auch: bezahlt, bestellt, erlebt

Partizip II der trennbaren Verben   Clip 22

____ge____t	____ge____en
Ich habe sie abgeholt.	Er hat die Staatsbürgerschaft angenommen.
Er hat mit ihr einen Termin ausgemacht.	Das Studium hat er 2013 abgeschlossen.
	Er ist gestern umgezogen.

auch: ausgetauscht, angemacht, angeschaut, anprobiert

auch: angekommen, eingeladen, weggeworfen

AUSSPRACHE

Diphthonge   Track 6

Ei-Laut [aɛ̯]		Au-Laut [aʊ̯]		Eu-Laut [ɔœ̯]	
ei	leicht, nein	au	auch, der Baum	eu	neu, Deutsch
ai	der Mai	ao	der Kakao	äu	die Bäume

> ie und ei nicht verwechseln:
> nie – nein, Wien – Wein
>
> ai in trainieren, Saison, ...
> (= Fremdwörter) wird nicht
> wie ein Diphthong gesprochen.

Wortakzent in Verben auf -ieren   Track 7

passieren – Was ist denn passiert?   telefonieren – Hast du schon telefoniert?

Alles im Rhythmus   Track 8

Chor: Hip-Hop, Hip-Hop, Hip-Hop …
A: He Leute, ich mag Hip-Hop. Ich mag Deutsch und Hip-Hop.
   Hört mal, ich mag Hip-Hop. Ich mag Deutsch und Hip-Hop.
Chor: Hip-Hop, Hip-Hop, Hip-Hop …
B: Weil es populär ist. Weil es nicht so schwer ist.
C: Weil es cool und toll ist. Weil es wundervoll ist.
B: Weil es wunderbar ist. Weil der Rhythmus klar ist.
C: Weil ich es verstehn kann. Weil man den Rhythmus sehn kann.
B: Weil mir Hip-Hop Spaß macht. Und weil Hip-Hop rappt.
C: Weil Deutsch mit Hip-Hop Spaß macht. Das ist mein Konzept!
Chor: Rap, Rap, Hip-hop, Rap, Rap, Hip-Hop, Rap, Rap, Hip-Hop.
   Hip-Hop, Hip-Hop, Hip-Hop! Stopp!

12

Was glauben Sie: Wo liegen die Dinge?
Warum liegen die Dinge da?
Ist das Ordnung oder Chaos?

Chaos und Ordnung

A   24

Schön ordentlich!

→ oben, unten, vorne, hinten, in der Mitte

→ Die Stadt ist hektisch, laut, chaotisch.

→ der Brunnen, der Abfallkorb, die Bank, das Wartehäuschen

→ Sie möchte, dass ..., Er findet, dass ..., Ich bin der Meinung, dass ...

→ schöner als, besser als

- *Kommunikation: Städte beschreiben und Lokalangaben machen; Meinung äußern; Dinge vergleichen*
- *Wortschatz: Stadt und Stadtmöbel; Adjektive zum Beschreiben und Vergleichen*
- *Grammatik: Lokaladverbien; Nebensätze mit dass; Komparativ*
- *Phonetik: H-Laut und Vokal am Wortanfang*
- *Landeskunde: Designstadt Graz*

B   28

Alles in Ordnung?

→ Wo? Neben dem Computer, unter dem Bild, hinter den Büchern, vor dem Schrank.

→ Wohin? Über den Tisch, ins Regal, neben die Lampe, zwischen die Stühle.

→ Aufräumen ist mein Hobby.

→ Ich sortiere Dinge nach Größe, nach Farben, nach Formen, ...

- *Kommunikation: den Arbeitsplatz mit Lokalangaben beschreiben; Wohntipps verstehen und geben; einen Chat mit einem Künstler lesen*
- *Wortschatz: Gegenstände im Büro und Zuhause; Fragen und Antworten zur Person*
- *Grammatik: Wechselpräpositionen mit Dativ und Akkusativ*
- *Phonetik: Ang-Laut*
- *Landeskunde: der Schweizer Künstler Ursus Wehrli*

32

Redemittel, Strukturen, Aussprache

A | Schön ordentlich!

b Von hier oben sieht die Stadt gemütlich aus, aber unten ist wahrscheinlich nicht viel los.

a Von hier oben sieht ja alles ruhig aus, aber unten ist es sicher chaotisch, hektisch und laut.

Graz, Österreich

Frankfurt, Deutschland

1a

Luftbilder. Sehen Sie die Fotos an und lesen Sie die Sätze. Was passt? Ordnen Sie zu.

1b

Welche Stadt finden Sie interessant? Warum? Erzählen Sie.

eine Großstadt | eine Kleinstadt | modern | alt | ordentlich | chaotisch | Hochhäuser | Einfamilienhäuser | Straßen | Wege | viel / wenig Grün | ein Fluss | ein See | ein Park | ein Schloss | viel / wenig los sein | …

Ich finde … interessant, weil, …
Ich finde … nicht interessant, weil …

1c Track 9

Hören Sie. Ist das Graz, Frankfurt, Karlsruhe oder Bern?

1. _____   2. _____
3. _____   4. _____

> *„VON HIER OBEN SIEHT DAS COOL AUS!"*

1d Seite 32 KB

Lesen Sie die Sätze und vergleichen Sie mit den Fotos. Was ist richtig, was ist falsch? Kreuzen Sie an.

	richtig	falsch
Graz:		
In der Mitte ist ein Park.	☐	☐
Rechts sieht man den Fluss.	☐	☐
Frankfurt:		
Vorne sieht man den Fluss. Hinten sind Berge.	☐	☐
In der Mitte stehen viele Hochhäuser.	☐	☐
Karlsruhe:		
Da ist ein Park und in der Mitte steht ein Schloss.	☐	☐
Vorne sieht man einen See.	☐	☐
Bern:		
Hinten sieht man den Fluss.	☐	☐
Vorne ist eine Brücke und eine Kirche.	☐	☐

1e

Suchbilder: Fragen und antworten Sie.

die Hochhäuser | der Fluss | das Schloss | die Kirche | die Brücke | der Park | die Berge | der Wald | die Insel | der See

Graz: Wo ist der Fluss? Wo ist …
Frankfurt: Wo sind …
Karlsruhe: …
Bern: …

c Von hier oben sieht ja alles schön und ordentlich aus, aber unten ist es vielleicht ein bisschen langweilig.

d Von hier oben sieht die Stadt ja toll aus! So ordentlich! Ich glaube, die Stadt ist auch unten schön.

Bern, Schweiz

Karlsruhe, Deutschland

2a

Graz: City of Design. **Wie heißen die Sehenswürdigkeiten?**

die Murinsel | das Kunsthaus | der Uhrturm

2b

Lesen Sie den Text und ergänzen Sie die Sehenswürdigkeiten.

Graz, „City of Design"

Graz, im Süden von Österreich, hat fast 300.000 Einwohner und ist ca. 900 Jahre alt. Bekannt ist ⬜⬜⬜⬜ auf dem Schlossberg. Von da oben sieht man die ganze Stadt. Seit 2011 ist Graz UNESCO „City of Design". In Europa gibt es nur drei Cities of Design: Berlin, St. Michele in Frankreich und Graz. Alle Städte arbeiten zusammen und sind sehr kreativ. In Graz findet man viele schöne Bauwerke. Zum Beispiel ⬜⬜⬜⬜. Die Grazer sagen dazu „Friendly Alien", weil es so „verrückt" aussieht. Oder auch ⬜⬜⬜⬜ ziemlich genau in der Mitte vom Fluss. Es gibt da ein Amphitheater und ein Café. Man sieht: Design ist in Graz wichtig!

3a *Track 10*   *Seite 33 KB, Seite 109 ÜB*

H/h oder Vokal am Wortanfang. **Hören Sie und lesen Sie: H/h am Anfang klingt weich, Vokal am Anfang klingt hart.**

A: Hallo ihr, schaut mal hier!
Hinten rechts, da steht mein Haus.
Hübsch und schick, so sieht das aus.
Und vorn an der Ecke. Das ist eine Hecke!
Und hier oben, schaut her! Das ist er!
BC: Wer???
A: Na das ist er. Mein Hund!
BC: Aha … Na und???

3b

Ergänzen Sie die Reimwörter mit H/h. Sprechen Sie die Wörter.

ihr – hier | aus – … | Ecke – … | er – … | und – …

3c *Track 10*

Hören Sie noch einmal und sprechen Sie (in Gruppen) mit.

4

Ihre Stadt. **Bringen Sie Bilder mit oder suchen Sie im Internet Ihre Stadt oder Ihren Stadtteil. Beschreiben Sie.**

vorne | hinten | in der Mitte | links | rechts | oben | unten

Vorne ist der Fluss und hinten sieht man die Berge. Links unten ist eine Kirche …

 Seite 102 ÜB

Stadtplanung

5a

Städte planen. Was wollen und brauchen die Menschen? Lesen Sie und markieren Sie.

Städte planen

„Was braucht eine Stadt? Wie und wo wollen wir leben?" Das haben wir den italienischen Architekten Vittorio Lampugnani gefragt. Er lebt in Zürich und ist Experte für Stadtplanung.

„Ich glaube, dass es vor allem genug Platz geben muss. Die Menschen wollen gern auf den Straßen und Plätzen sein. Sie brauchen Bäume, Bänke und breite Gehwege. Es ist wichtig, dass die Menschen mit anderen sprechen und Spaß haben. Das hat sich auch in Zeiten von Smartphone und Facebook nicht geändert", meint Vittorio Lampugnani. „In den Städten gibt es zu viele Autos, der Verkehr ist chaotisch. Wir müssen den Fußgängern Platz geben. Die Menschen sind wichtig, nicht die Autos."

Mein Wunsch ist ein Markt für Obst und Gemüse. (Eva)

Die Kinder brauchen Spielstraßen. (Hanna)

"ICH FINDE, DASS BÄUME WICHTIG SIND!"

5b

Lesen Sie weiter und ordnen Sie die Wünsche den Fotos zu.

Wir haben unsere Leser gefragt: Was ist Ihre Meinung? Welche Wünsche haben Sie für die Stadt? Das sind die Antworten:

Ich möchte ein Gartenlokal mit Bäumen. (Franz Müller)

Ich möchte einen Brunnen mit Trinkwasser. (Anna W.)

5c

Ergänzen Sie die Sätze.

Eva schreibt, dass sie einen Markt möchte.
Anna W. schreibt, dass … möchte.
Franz Müller … / Hanna … / Klaus M. …

Viele Bänke sind wichtig. (Klaus M.)

6a

Welche Wünsche haben Sie für Ihre Stadt? Schreiben Sie.

Alle Zettel werden eingesammelt und im Kursraum aufgehängt.

Ich möchte, dass…
Ich finde wichtig, dass…
Mein Wunsch ist, dass …
Ich bin der Meinung, dass …

6b

Was wollen alle? Was will nur eine Person? Sprechen Sie.

Wir alle wollen, dass …
Fast alle möchten, dass …
Viele finden, dass …
Ein paar sind der Meinung, dass …
Nur … denkt, dass …

Seite 103 ÜB

„Stadtmöbel"

7a

In Graz. Was ist alt, was ist neu? Was finden Sie schön?

Das Wartehäuschen auf Foto 3 und der Abfallkorb auf … sind …
Die Bank auf Foto … ist alt, die auf Foto … ist neu.
… ist schön.

7b 🔊 *Track 11*

Hören Sie die Leute. Mit welchen Wörtern beschreiben Sie die Dinge? Ordnen Sie zu.

bequem | unbequem | stabil | modern | interessant | schön |
gemütlich | praktisch | neu | kaputt | komisch | ordentlich

7c 🖥 *Clip 23* 📄 *Seite 32 KB*

Hören Sie noch einmal. Was stimmt? Kreuzen Sie an.

	richtig	falsch
Die Bänke sind jetzt bequemer als früher.	☐	☐
Der Brunnen war früher schöner als jetzt.	☐	☐
Die Abfallkörbe waren früher stabiler als jetzt.	☐	☐
Früher hat mir der Platz gut gefallen, aber jetzt gefällt er mir besser.	☐	☐
Die Wartehäuschen waren früher unpraktischer, aber gemütlicher.	☐	☐
Kinder brauchen viel Platz. Früher hatten sie mehr Platz.	☐	☐
Manche sind jetzt sehr gern hier, anderen war der Platz früher lieber.	☐	☐

8a 🔊 *Track 12*

Im Rhythmus: Hören Sie und lesen Sie.

Heute ist alles schöner, alles ist toll.
Viel besser als früher. Echt wundervoll!
Die Sonne ist heller. Die Autos fahren schneller.
Die Straßen sind breiter. Wir reisen viel weiter.
Wir fahren bequemer und wohnen extremer.

Der Sommer ist heißer. Der Schnee ist viel weißer.
Ich find alles moderner und origineller,
bequemer und bunter und auch aktueller.
Es ist alles viel cooler. Es ist alles toll!
Ich mag alles viel mehr. Ja, wundervoll!

8b

Hören Sie noch einmal und sprechen Sie mit.

9

Ihr Platz. Suchen Sie (im Internet) Bilder von Stadtmöbeln und gestalten Sie ein Plakat. Vergleichen Sie dann.
Die Gruppen gestalten Plakate, die im Kursraum aufgehängt werden.

Ich finde die Bänke / die Tische / den … auf dem Plakat …
schöner / bequemer / origineller / … als auf dem Plakat …

„*DER PLATZ GEFÄLLT MIR JETZT BESSER!*"

📄 *Seite 104 ÜB*

B | Alles in Ordnung?

 10a

Schreibtischtypen. Sehen Sie die Fotos an. Was glauben Sie: Wer arbeitet an den Schreibtischen? Wie sind die Personen?

Der Schreibtisch auf Foto 1 sieht … aus. Ich sehe auch …
Ich glaube, die Person ist … / hat … / arbeitet …

ordentlich | kreativ | chaotisch | romantisch | gestresst |
arbeitet gern / nicht gern | hat Kinder | hat einen Hund |
mag Tiere | isst gern Obst | trinkt Tee / Kaffee | reist gern | …

 10b

Lesen Sie die Texte. Was passt zu welchem Foto? Markieren Sie die Schlüsselwörter.

A: Familienfotos, Süßigkeiten … finde ich auf Foto …
B: Auf Foto 2 … sehe ich …

Schreibtischtypen

1   Hier ist nichts!

Auf dem Schreibtisch sieht man keine persönlichen Dinge oder Dokumente für die Arbeit. Zwischen Laptop, Maus und Telefon ist nichts. Das heißt, die Person ist unzufrieden mit dem Job.

2   Fotos von Familie, Freunden oder Tieren

Sie stehen neben dem Computer und sagen: „So hübsch ist mein Partner!" oder „Ich liebe meine Kinder!" oder auch „Das ist mein Haustier – ich hab es gern!". Die Familie und das Zuhause sind sehr wichtig für die Person.

3   Süßigkeiten

Schokolade, Kuchen oder Kekse auf dem Schreibtisch? Das heißt, die Person ist sozial und kommunikativ. Sie spricht gern mit den Kollegen und trinkt mit ihnen einen Kaffee oder Tee.

4   Post-its

Viele Zettel an der Wand oder auf dem Computerbildschirm sagen: „Ich arbeite zu viel, ich bin gestresst!" Oder auch: „Ich möchte endlich eine Pause!"

5   Souvenirs, kleine Figuren, Pflanzen …

Ein Souvenir, eine Lieblingsfigur, eine Grünpflanze oder andere persönliche Dinge vor, hinter oder neben dem Computer bedeuten: „Ich bin hier gern! Ich mag meinen Job."

6   Hier findet man alles!?

Liegen viele Zettel auf dem Tisch? Die Kaffeetasse ist leer und steht zwischen Tastatur und Telefon. Das Handy liegt unter dem Pausenbrot und die Lampe über dem Arbeitsplatz ist kaputt. Menschen mit Chaos haben manchmal Organisationsprobleme. Sie sind aber oft auch sehr kreativ.

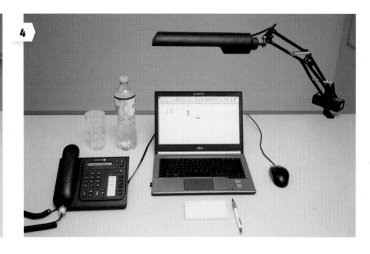

  Track 13 *Clip 24*

Hören Sie. Über welchen Schreibtisch sprechen die Kollegen? Notieren Sie.

1. Neben der Kaffeetasse liegt Schokoladenpapier.
2. Neben dem Laptop liegt die Maus. Sonst nichts.
3. In der Tasse ist noch Tee. Der ist sicher kalt.
4. Vor dem Hochzeitsfoto liegt eine Rose.
5. An der Lampe hängt ein Souvenir.
6. Zwischen der Tastatur und dem Bildschirm stehen Figuren.
7. Zwischen dem Apfel und der Banane liegt eine Brille.
8. Hinter dem Telefon steht eine Wasserflasche und ein Glas.
9. Auf den Fotos sind Kinder.
10. Neben dem Bildschirm sind so viele Zettel.
11. Unter der Tastatur liegt ein Brief.
12. Über dem Laptop ist eine Lampe.
13. Auf dem Bildschirm sind viele Zettel.

Foto 1:

Foto 2:

Foto 3:

Foto 4:

11a

Bilddiktat: Wo lernen Sie Deutsch? Wie sieht es dort aus?

Beschreiben Sie. Ihr Partner / Ihre Partnerin zeichnet.

Die Lernenden diktieren sich gegenseitig, wie ihre Arbeitsplätze aussehen und was wo liegt. Der andere zeichnet dies jeweils auf ein Blatt Papier. In 11b tauschen sie die Skizzen und kommentieren sie.

11b *Seite 33 KB*

Kontrollieren Sie die Zeichnungen. Ist alles richtig?

,, *WO? VOR ODER HINTER DEM COMPUTER?* "

Schöner wohnen

 12a

Wohntipps. Wie finden Sie die Wohnung auf dem Bild?

Ich finde die Wohnung ordentlich / chaotisch / gemütlich / …
Es gibt …   Auf dem Boden liegen …

 12b

Welche Tipps gibt die Wohnexpertin? Lesen und markieren Sie.

Besser leben mit **Feng Shui** – Praktische Wohntipps aus China

Der Eingang in Ihre Wohnung ist besonders wichtig. Also, bitte keine Schuhe, Mäntel, Jacken, … auf Stühlen oder auf dem Boden! Hängen Sie Ihre Kleidung in den Schrank, stellen Sie Ihre Schuhe ins Regal. Steht Ihr Sofa frei im Wohnzimmer? Das geht gar nicht! Stellen Sie das Sofa an die Wand und legen Sie einen Teppich vor das Sofa – das gibt Ruhe und positive Energie! Stellen Sie Ihr Bett nicht zwischen die Tür und das Fenster. Davon können Sie Schlafprobleme bekommen. Sitzen Sie bei der Arbeit so, dass Sie die Tür sehen können und nicht direkt vor dem Fenster sitzen: So arbeitet man besser. Wichtig sind auch Pflanzen oder frische Blumen in der Wohnung. Denn Grün bedeutet Leben und Gesundheit! Auch Fotos von Familie und Freunden sind positiv! Kerzen geben Ihnen Energie und machen Ihre Wohnung gemütlich. Und noch etwas: Zu Hause bitte kein Chaos! Lieber zu wenig als zu viel – werfen Sie immer wieder mal etwas weg!

 12c *Seite 33 KB*

Lesen Sie die Tipps noch einmal.
Wie können Sie die Wohnung gemütlicher machen?

Im Eingang liegen Schuhe und Jacken auf dem Boden.
→ Wir stellen … ins Regal und hängen … in den Schrank.
Das Bett steht zwischen der Tür und dem Fenster.
→ Wir stellen … neben die Tür.

 13a *Track 14*

Im Rhythmus: Hören Sie und lesen Sie mit.

Wo, wo, wo? Im Schrank und an der Wand und …
im Regal. Super, bitte noch einmal: Wo, wo, wo …
Und wohin? In den Schrank, an die Wand und …
ins Regal. Super, bitte noch einmal: Wohin …
Wo? Auf dem Bett. Wohin? Aufs Tablett. Wo?
Neben der Bank. Wohin? Unter den Schrank.
Gut, und weiter?
Wo? Auf dem Tisch. Wohin? Auf den Tisch.
Wo? Auf dem Sofa. Wohin? Auf das Sofa.
Und weiter, immer, immer weiter. Weiter …

 13b

Hören Sie noch einmal. Sprechen Sie mit, sprechen Sie weiter.

 14

Wohnprobleme. Was gefällt Ihnen in Ihrem Zuhause nicht?
Notieren Sie. Geben Sie sich dann Tipps.

Lernende notieren, was sie in ihrer Wohnung stört und was sie ändern möchten. Dann geben sie das Blatt nach rechts weiter. Jeder notiert zu jedem Problem einen Tipp. Am Ende diskutieren sie die Lösungsideen.

A: Meine Jacken und Mäntel liegen immer auf einer Bank.
B: Du kannst sie in einen Schrank hängen.

„DAS IST GEMÜTLICH!"

 Seite 106 ÜB

Schön aufgeräumt

Ursus Wehrli ist ein Schweizer Ordnungskünstler: Er räumt Kunst auf. Wie das geht? Er macht Bilder von Kandinsky, Matisse, Klee, … kaputt und ordnet sie neu. Oder er organisiert Alltagsgegenstände einmal anders: eine Portion Pommes frites nach der Größe, eine Buchstabensuppe nach dem ABC, Autos auf einem Parkplatz nach Farben, …

 15a

Kunst aufräumen. Sehen Sie die Fotos an und lesen Sie. Was und wie räumt Ursus Wehrli auf? Wie finden Sie das?

Er sortiert … nach der Größe / nach Farben / nach dem ABC / nach Formen / …

 15b

Lesen Sie den Chat. Was erfahren Sie noch über den Künstler? Markieren Sie.

 15c

Was wissen Sie nun über den Schweizer Künstler? Notieren Sie die wichtigsten Informationen und lesen Sie sie vor.

Ursus Wehrli ist Künstler, … Er räumt … Auch Bilder von …
Er ist in … geboren.
Der Künstler hat ein Hobby, er …
Ich finde Wehrli …
Seine Projekte sind …

> Shena2000 Meier: Räumst du gerne auf?
> Ursus Wehrli: Ich räume nicht immer gerne auf… ich warte manchmal einfach so lange …
> Dominik Rüedi: Was sind deine Hobbys?
> Ursus Wehrli: Ich glaube, ich habe keine Hobbys. Ich kann in meinem Beruf als Künstler, Komiker, Schauspieler, Buchautor, Musiker alles machen, was ich gerne tue. Aber ich gehe gerne in die Berge. Vielleicht ist das ein Hobby?
> Svenja Ritter: Was ist deine Lieblingsfarbe?
> Ursus Wehrli: Grünblaugraurotgelbviolettbraungelbgoldweiss!*
> Jan Widmer: Du hast ja schon so viel aufgeräumt … Was war ein wirklich großes Projekt?
> Ursus Wehrli: Ich habe einmal einen Parkplatz mit 100 Autos aufgeräumt.
> Jasmina Buchegger: Was möchtest du am liebsten mal aufräumen?
> Ursus Wehrli: Die Alpen! Alle Berge der Größe nach aufreihen, das schaut sicher toll aus!

*weiss (CH), weiß (D, A)

 16a *Track 15* *Seite 33 KB, Seite 109 ÜB*

Ang-Laut. Hören Sie und lesen Sie. Achten Sie auf ng.

A: Was ist Ordnung für Sie?
B: Ordnung ist langweilig. Unordnung ist kreativ.
C: Ohne Ordnung keine Planung.
D: Ordnung fängt in der Wohnung an.
E: Ordnung ist anstrengend. Ordnung macht Angst.
F: Entschuldigung, was meinen Sie eigentlich mit Ordnung?
G: Ich bin der Meinung, dass Ordnung nicht so wichtig ist.

 16b

Hören Sie und lesen Sie laut mit. Sprechen Sie ng ganz weich und ohne k.

 17a

Unser Kunstwerk. Können Sie wie Ursus Wehrli aufräumen? Ordnen Sie Bilder, Fotos, Dinge neu.

Lernende zerschneiden Bildmaterial oder suchen Dinge im Kursraum und sortieren sie neu nach Farben, Größe, Nutzen etc. Die fertigen Kunstwerke werden ausgestellt und kommentiert.

 17b

Machen Sie eine Ausstellung im Kurs. Erklären Sie Ihr Kunstwerk. Wie haben Sie sortiert?

Wir haben nach Farben sortiert. Hier liegen unsere Kulis, denn sie sind gelb. Neben den Kulis liegen unsere Bücher. Sie sind …

 Seite 107 ÜB

REDEMITTEL

Städte beschreiben

Wie ist die Stadt? Ist sie ist alt oder modern, hektisch oder gemütlich, beeindruckend oder langweilig, ordentlich oder chaotisch?

Städte vergleichen

Früher waren die Städte gemütlicher.
Die Bänke waren bequemer und die Brunnen waren schöner.
Aber heute sind die Städte praktischer.
Die Wartehäuschen sind besser und die Abfallkörbe sind stabiler.

Die Meinung sagen

Sie sagt, dass …
Ich bin der Meinung, dass …
Ich finde wichtig, dass …

Wohntipps geben

Häng den Mantel in den Schrank.
Stell die Bücher ins Regal.
Stell das Sofa an die Wand.
Stell die Blumen ans Fenster.
Leg Kissen aufs Sofa.

STRUKTUREN

Lokaladverbien

oben
rechts
in der Mitte
links
unten
vorne   hinten

Der Nebensatz mit dass

Sie schreibt, dass sie einen Markt möchte.
Er ist der Meinung, dass Tische und Bänke wichtig sind.
Sie finden, dass Kinder mehr Platz brauchen.

Der Komparativ   Clip 23

bequem	bequemer
praktisch	praktischer
groß	größer
gut	besser
viel	mehr
gern	lieber

Früher waren die Bänke bequemer als heute.

AUSSPRACHE

H-Laut und Vokalneueinsatz (Vokale am Anfang) 🔊 Track 16

H-Laut [h]	Vokalneueinsatz (Vokale am Wort- und Silbenanfang)
(das) **H**aus, **h**eiß ge**h**ört	|**au**s, das | **Ei**s ge | **a**rbeitet

h nach langem Vokal wird nicht gesprochen, z. B. wohnen, sehen, …

Achtung: im Mai, aber im \| Ei

Ang-Laut   Track 17

Di**ng**e, da**nk**e

*Achtung:
ng ohne g oder k sprechen!*

STRUKTUREN

Wechselpräpositionen mit Dativ und Akkusativ *Clip 24*

	Es liegt, steht, hängt, … **Wo? (Dativ)**	Ich lege, stelle, hänge, … es … **Wohin? (Akkusativ)**
der:	am Tisch	an den Tisch
	auf dem Boden	auf den Boden
	im Schrank	in den Schrank
das:	neben dem Foto	neben das Foto
	hinter dem Regal	hinter das Regal
	über dem Sofa	über das Sofa
die:	unter der Tasse	unter die Tasse
	vor der Tür	vor die Tür
die (Pl.):	zwischen den Pflanzen und den Büchern	zwischen die Pflanzen und die Bücher

AUSSPRACHE

Alles im Rhythmus *Track 18*

A: Die Tasse steht hier auf der **Bank**. Stell sie bitte in den **Schrank**.

B: o**kay**!

A: Die Kerze steht da auf dem **Bett**. Stell sie bitte aufs Ta**blett**.

B: **Gut**.

A: Das Kissen liegt auf dem Ta**blett**. Leg es lieber auf das **Bett**.

B: **Mach** ich!

A: Du hast den Hut noch in der **Hand**. Häng ihn bitte an die **Wand**.

B: **Mhm**!

A: Und stell die **Schuh**e ins Re**gal**!!!

B: Nein, mach ich **nicht**. Ist **mir** doch egal! Ist **mir** doch egal!

13

Was glauben Sie: Wo ist das?
Was kann man hier machen?
Wer geht dort hin?

Glücklich

Glücklich

Dies und das

A   **36**

Einkaufen

→ Ich hätte gern einen Topf, eine
  Pfanne, …
→ der Elektroladen, das Haushaltswaren-
  geschäft, die Drogerie
→ Welcher Topf gefällt dir? Dieser.
  Welchen nehmen Sie? Diesen.
→ Welcher Einkaufstyp bist du?
  Ich bin ein Schnäppchenjäger!
  Deshalb vergleiche ich die Preise.

• Kommunikation: sich im Shoppingcenter
  orientieren; Wünsche äußern; einen Ein-
  kaufstypen-Test machen; etwas begründen
• Wortschatz: Produkte und Geschäfte
• Grammatik: Konjunktiv II als Chunk (hätte);
  Fragepronomen (welcher, welches, welche);
  Demonstrativpronomen (dieser, dieses, diese);
  Sätze mit deshalb
• Phonetik: Konsonantenverbindungen
  [ts, ks, pf]
• Landeskunde: Shoppingcenter in D-A-CH

B   **40**

Verkaufen

→ Wann kommst du? Wann kommen die
  Kunden? Seit wann bist du hier?
→ Nie vor 10 Uhr. Ab 12 Uhr. Seit 1990.
→ Überweise das Geld! Lad Fotos hoch!
→ Ich verkaufe dir den Schal. Schickst du
  mir deine Adresse?

• Kommunikation: über den Arbeitsalltag
  sprechen; eine Anleitung im Internetshop ver-
  stehen; Produktanfragen per E-Mail schreiben
• Wortschatz: kaufen und verkaufen im Internet
• Grammatik: Temporalangaben (ab, nach, seit,
  vor, zwischen); trennbare und nicht trennbare
  Verben im Imperativ; neue Verben mit Dativ
  und Akkusativ
• Phonetik: Konsonantenhäufungen
• Landeskunde: ein Späti (Spätkauf) in Berlin-
  Neukölln; ein Internetshop für Handarbeit

44

Redemittel, Strukturen, Aussprache

A | Einkaufen

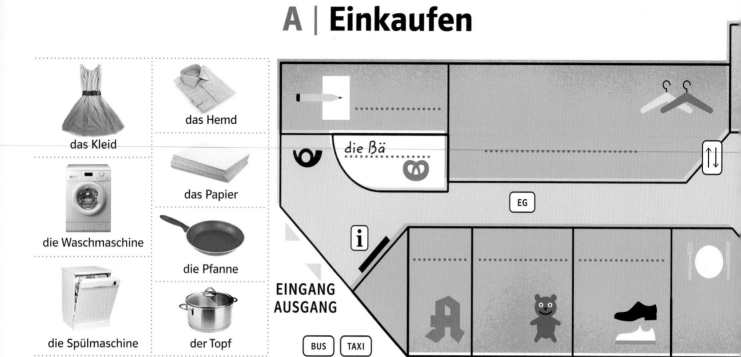

das Kleid

das Hemd

die Waschmaschine

das Papier

die Spülmaschine

die Pfanne

der Topf

EINGANG
AUSGANG

BUS TAXI

die Bä

EG

i

1a

Im Shoppingcenter. Sehen Sie den Plan an und ordnen Sie die Geschäfte den Symbolen zu.

das Modegeschäft für Damen und Herren | der Zeitungskiosk | der Optiker | das Haushaltswarengeschäft | der Buchladen | der Elektroladen | die Apotheke | die Drogerie | die Bäckerei | der Schreibwarenladen | das Schmuckgeschäft | der Schuhladen | das Spielzeuggeschäft

1b

Was bekommt man wo? Verbinden Sie die Fotos mit den Geschäften. Vergleichen Sie mit Ihrem Partner.

Eine Pfanne kann man im Haushaltswarengeschäft kaufen.
Die Sonnencreme bekommt man in der Drogerie. ...

1c

Was gibt es noch? Und wo findet man das? Suchen Sie auf dem Plan.

die Toilette | die Bank | die Post | der Aufzug | der Geldautomat | der Ausgang | der Friseur | die Information | ...

Gleich am Eingang ist die Information.
Im Erdgeschoss hinten gibt es ein Kunden-WC.
Der Friseur ist im ersten Stock neben dem ...

2a   *Track 19*

Was brauchen André und Bea? Hören Sie zweimal und schreiben Sie die Einkaufslisten.

Andrés Einkaufsliste

Beas Einkaufsliste

– ein Kleid

André hätte gern einen / ein / eine ...
Bea hätte gern ...

2b

Sie haben 150,– €. Was hätten Sie gern? Wählen Sie eine Situation und schreiben Sie Ihre Einkaufsliste.

Sie ziehen in eine neue Wohnung. | Sie fahren in den Sommerurlaub. | Sie fangen einen Job in der Bank an.

Ich hätte gern einen / ein / eine ... Und du? Was hättest du gern?

1.STOCK

€
WC

die Seife

das Parfüm

die Sonnencreme

die Zahncreme

die Tabletten

die Kontaktlinsen

die Briefmarke

der Briefumschlag

3a   🔊 Track 20

Im Rhythmus: Hören Sie und lesen Sie.

A: Guten **Tag**, was **hät**ten Sie gern?
B: Ich hätte **gern** einen **Schal**.
A: In Rot oder **Grün**? Kurz oder **lang**?
B: Nein, bitte ganz nor**mal**.
A: Was kommt noch da**zu**? Vielleicht noch ein **Hut**?
B: Ich schau mich mal **um**. **Dan**ke sehr.
A: **Al**les hier finde ich **gut**.
Die Auswahl ist wirklich **schwer**.
Ich hätte gern die **Schu**he, das **Kleid** und den **Ring**,
die **Ho**se, die Mütze in **Blau**.
Das **Shirt** und die **Blu**se und hier noch das **Ding**.
B: Und **das** ist nun **al**les?
A: Gen**au**!
B: Kommt nichts mehr da**zu**? Zahlen Sie **bar**?
A: Ich **weiß** nicht … Ach **war**ten Sie mal.
Ich nehme **doch** lieber nur den **Schal**.
B: Na, Sie sind echt **lus**tig.
A: Ja **klar**!

3b

Hören Sie noch einmal. Sprechen Sie (in Gruppen) mit.

4

Speed-Shoppen. Was hätten Sie gern? Was brauchen Sie?
Und wohin müssen Sie dann gehen? Spielen Sie. 👤👤👤

2 Gruppen – jede notiert 5 Begriffe. Gruppe A sagt, was sie möchte.
Gruppe B sagt, wo man das findet. Wenn sie in 10 Sekunden richtig
antwortet, darf sie die nächste Frage stellen, wenn nicht, stellt Gruppe A
erneut eine Frage. Wer hat die meisten richtigen Antworten?

Ich brauche / suche / möchte / hätte gern /
A: Ich brauche Kopfschmerztabletten.
Ich hätte gern Ohrringe.
Ich muss mal …

Du bekommst / findest / Geh doch …
B: Dann geh doch in die Apotheke.
Die bekommst du im …
Dann geh auf das Kunden-WC.

1. Kopfschmerztabletten,
2. Ohrringe, 3. Toilette, …

„ICH HÄTTE GERN EINE CREME!“

Seite 112 ÜB

Welcher gefällt dir? Welchen nehmen wir?

  Track 21

**Im Elektroladen. Hören Sie. Was möchten die Kunden?
Wählen Sie den passenden Einkaufswagen.**

Hören Sie noch einmal. Ordnen Sie die Dialogschnipsel.

1 Guten Tag! Kann ich Ihnen helfen?

Ja, kommen Sie bitte mit zur Kasse. Zahlen Sie bar oder mit Karte?

Den finde ich gut. Der ist schön klein.

Super! Dann nehmen wir diese Spülmaschine.

Ja. Wir suchen eine Spülmaschine.

Sehr gern. Haben Sie noch einen Wunsch?

Da zeige ich Ihnen mal unsere Auswahl.

Wie finden Sie diese? Sie ist sehr leise und braucht wenig Wasser.

Die ist im Moment im Angebot.

Ja, wir hätten noch gern einen Föhn – für die Reise.

Hm, ich weiß nicht, die ist ziemlich teuer. Und wie ist diese?

Wir nehmen diesen Föhn. Können wir bei Ihnen gleich bezahlen?

  Clip 25 *Seite 44 KB*

**Suchen Sie gleiche Gegenstände und spielen Sie ein Gespräch.
Welches Produkt hätten Sie gern? Warum?**

Gleiche Gegenstände im Kursraum sind z.B. Jacken, Stifte, Hefte, Handys, …

**„WIR NEHMEN DIESEN.
DER IST SCHÖN! “**

Verkäufer: Welcher / Welches / Welche … gefällt Ihnen?   **Kunde:** Mir gefällt dieser / dieses / diese … Der / Das / Die ist / sind …
Verkäufer: Welchen / Welches / Welche … nehmen Sie?   **Kunde:** Ich nehme diesen / dieses / diese … Der / Das / Die ist / sind …

  Track 22 *Seite 45 KB, Seite 119 ÜB*

**Konsonantenverbindungen [ts], [ks], [pf]. Hören Sie das
Rätsel und achten Sie auf die Markierungen.**

Welches Ding kaufst du?
Ist es schwarz oder ist es bunt?
Salzig, kurz oder ganz gesund?
Sind es Kekse? Schenkst du sie mir?
Ist es Pizza oder Papier?
　　　　Kocht man es vielleicht im Topf.
　　　　Ist es nützlich für den Kopf?
　　　　Ist es ein Apfel? Schmeckt er dir?
　　　　Oder ist es diese Mütze hier?

**Hören Sie noch einmal und sprechen Sie mit.
Sprechen Sie [ts], [ks], [pf] ganz deutlich.**

**Collage. Suchen Sie Fotos von gleichen Produkten (Schuhe,
Smartphones usw.) und machen Sie eine Collage.**

*Bringen Sie Material für die Collagen mit: Zeitungen, Zeitschriften,
Kataloge, Scheren, Klebstoff, Papier.*

**Zeigen Sie Ihre Collage einer anderen Gruppe. Wählen Sie
ein Produkt aus. Die anderen raten.**

Gruppe A wählt etwas aus, Gruppe B rät, indem sie Ja-/Nein-Fragen stellt.

Ist es rot / groß / klein? Ist es ein/e …? Ist es diese/s …?

 Seite 113 ÜB

Welcher Einkaufstyp bist du?

	stimmt nicht: 1 Punkt	weiß nicht: 2 Punkte	stimmt: 3 Punkte
Shoppen gehen ist mein Hobby. Ich kaufe immer gern ein.			
Markennamen sind für mich wichtig.			
Ich gebe oft mehr Geld aus, als ich will.			
Mir sind die Preise oft egal. Hauptsache, mir gefällt es!			
Woher kommt das Produkt und wer hat es gemacht? Das ist für mich wichtig.			
Preise vergleichen finde ich langweilig. Ich kaufe spontan.			
Ich sehe im Fernsehen ein cooles Kleidungsstück. Ich muss es auch haben!			
Ich liebe Mode-Magazine! Sie sind meine Lieblingszeitschriften.			
Oft habe ich kein Ziel. Ich gehe nur so in Läden und schaue, was mir gefällt.			
Ich brauche etwas? Dann gehe ich direkt in einen Laden und kaufe es.			

. . . .

10–16 Punkte: Der Schnäppchenjäger
Du bist ein guter Finanzminister! Für dich ist Geld wichtiger als Mode. Deshalb vergleichst du immer erst die Preise. Du nimmst dir Zeit für deine Einkäufe und suchst immer nach Angeboten. Dein Motto: Hauptsache günstig.

17–23 Punkte: Der Strategie-Shopper
Du bist sehr vernünftig! Du kaufst nur, was du brauchst, nicht mehr und nicht weniger. Du findest es wichtig, dass Kleidung und Essen fair und ökologisch sind. Deshalb kaufst du immer sehr bewusst und nie spontan ein.

24–30 Punkte: Der Spaß-Shopper
Shoppen gehen macht dich glücklich! Deshalb gehst du oft und gern shoppen. Du kaufst, was dir gefällt. Der Preis ist dir egal! Deine Sachen sind stylisch und cool. Du bist der Meinung, dass shoppen gehen vor allem Spaß machen muss.

 8a

Einkaufstypen. Machen Sie den Test. Lesen Sie dann die Lösung und ordnen Sie die Zeichnungen zu.

 8b

Und was für ein Typ ist Ihr Partner / Ihre Partnerin? Raten Sie und vergleichen Sie dann. ⚇

 8c

Bilden Sie Gruppen zu Ihrem Einkaufstyp. Was denken Sie: Passt die Beschreibung zu Ihnen? Diskutieren Sie. ⚇⚇

3 Gruppen: Jede Gruppe liest und diskutiert „ihren" Text.

Ich kaufe immer spontan und ohne Plan ein.
Deshalb bin ich ein Spaß-Shopper.

 9

Pantomime: Wie kaufen Sie ein? Spielen Sie gemeinsam eine Szene. Die anderen raten. ⚇⚇

Ihr seid Schnäppchenjäger! Deshalb schaut ihr in euer Portmonee.
Ihr schreibt eine Einkaufsliste. Deshalb seid ihr …

„*ICH GEBE MEHR GELD AUS, ALS ICH WILL.*"

 *Seite 114 ÜB*

B | Verkaufen

„Ich bin hier immer im Späti."

Was denken Sie: Was für ein Geschäft ist das? Was gibt es da?

ein Supermarkt | ein Café | ein Kiosk | …
Getränke | Brot | Zahncreme | …

  Track 23

**Lesen Sie den Text. Hören Sie dann das Interview und
streichen Sie die falschen Informationen aus dem Text.**

Doğan Karaoğlan lebt seit 1979 // seit 1992 in Berlin. In Deutschland ist er seit 1975 // seit 1979. Er ist nach Deutschland gekommen, weil er Arbeit // Freunde gesucht hat. Berlin gefällt Doğan Karaoğlan // gefällt Doğan Karaoğlan nicht, weil die Stadt so multikulti ist. Er arbeitet in seinem Laden // einem Kaufhaus in Berlin-Neukölln. Das Geschäft heißt Galerie Späti International. Doğan Karaoğlan verkauft Bier // Wein // Eiscreme // Zigaretten // Süßigkeiten // Zeitungen. Internet gibt es nicht // gibt es auch. Im Geschäft finden auch Ausstellungen // Konzerte statt. Die Künstler helfen Doğan Karaoğlan mit den Bierkästen // den Briefkästen. Er mag die Künstler und Studenten. Außerdem mag er seine Kunden, weil sie Geld haben // gute Laune haben und lachen. Manchmal kommen Kunden einfach zum Reden // zum Geldzählen. Manchmal tanzen Kunden spontan.

Doğan Karaoğlan steht 16 Stunden täglich in seinem Spätkauf.

  Track 24 *Seite 45 KB*

**Arbeitsalltag. Lesen Sie die Fragen. Hören Sie das Interview
weiter und ergänzen Sie die Uhrzeiten und Tage.**

Seit wann arbeitet Herr Karaoğlan im Laden?	Seit _____ Jahren.
Wann macht er den Laden auf?	Um _____ Uhr.
Wann räumt er die Regale ein?	Zwischen _____ und _____ Uhr.
Ab wann verkauft er?	Ab _____ Uhr.
Wann kommen die ersten Kunden?	Nach _____ .
Wie lange hat er geöffnet?	Wochentags bis _____ , am Wochenende bis _____ .
An welchen Tagen arbeitet er?	Von _____ bis _____ .
Wann schläft er?	Nie vor _____ Uhr.
Wann fährt er in Urlaub?	Im _____ .

Vergleichen Sie Ihre Lösungen.

Doğan Karaoğlan macht den Laden um … Uhr auf.
Er räumt zwischen … und … Uhr die Regale ein.
Er arbeitet bis …

„ICH MACHE NIE VOR 10 AUF!"

11a

Späti-Kunden. **Was haben die Leute eingekauft? Lesen Sie und ordnen Sie die Zeitangaben zu.**

nach 22 Uhr | zwischen 11 und 12 Uhr | um 20 Uhr | am Sonntag

1. Wir haben Bier gekauft und wollen gleich einen Film ansehen. Später gehen wir noch in ein paar Clubs.

2. Gestern beim Samstagseinkauf habe ich das Futter für meine Katze vergessen. Das kaufe ich heute hier.

3. Ich muss jeden Tag bis 22 Uhr arbeiten. Da haben die Läden schon zu. Deshalb bin ich froh, dass der Späti noch so spät auf hat.

4. Vor 11 stehe ich nicht auf. Jetzt will ich schnell noch etwas für mein Frühstück kaufen.

11b

Wo und wann gehen sie einkaufen? Machen Sie Notizen und erzählen Sie.

> Samstags stehe ich um ... auf.
> Danach gehe ich ...
> Von ... bis ... arbeite ich.
> Vor ... kann ich nicht ...
> Zwischen ... und ... mache ich Pause. Da kaufe ich ...
> Nach ... bis ... ab ...

12a *Track 25* *Seite 119 ÜB*

Viele Konsonanten zusammen. **Hören Sie und achten Sie auf die Konsonanten.**

Im Späti gibt es fast alles:

sechs Schreibtischschubladen	acht Geburtstagskalender
zwei Büchsen Katzenfutter	sechzehn Werkzeugschränke
zweiundvierzig Notizbücher	fünfzehn Strumpfhosen
zwanzig Geburtstagskarten	zwölf Geburtstagskerzen
fünfzehn Pizzarezepte	zweiundzwanzig Zahnbürsten
zwei Zeitschriften	sechzig Kochtöpfe

12b

Hören Sie noch einmal. Sprechen Sie nach. Sprechen Sie alle Konsonanten langsam und deutlich, zum Beispiel so:

sech...s Sch...reib...tisch...schub...laden |
sech...s Büch...sen Kat...zen...futter

12c

Schreiben Sie die Wörter aus 12a auf Kärtchen. Spielen Sie. Achten Sie auf die Aussprache.

Lernende schreiben die Wörter auf Kärtchen. Jeder zieht ein Kärtchen und spricht wie im Muster. Wer richtig spricht, behält das Kärtchen. Wer hat am Schluss die meisten Kärtchen?

A: Ich hätte gern zwei Zeitschriften.
B: Gern, bitte sehr. / Tut mir leid, die hab ich nicht.

 Seite 115 ÜB

Eröffne einen Online-Shop!

13a

Verkaufen in drei Schritten. Welches Bild passt? Ordnen Sie zu.

[ ] Produkt verkaufen [ ] Shop eröffnen [ ] Artikel einstellen

„GIB EIN PASSWORT EIN!"

13c

Lesen Sie die Anweisung und ergänzen Sie die Verben.

~~verdienen~~ | ausfüllen | eingeben | eröffnen | hochladen | ein-stellen | löschen | überweisen | schreiben | verkaufen | schicken

13d

 Clip 26 Seite 45 KB

Schreiben Sie alle Schritte im Imperativ.

Verdiene Geld bei DaWanda.

1. Gib ein Passwort _____.   6. _____
2. _____ deinen Shop.   7. _____
3. _____ ein Formular.   8. _____
4. _____   9. _____
5. _____   10. _____

13e

Organisieren Sie einen Shop für Handarbeit.
Was müssen Sie machen? Notieren Sie.

Bringt Produkte mit! / Bringt Geld mit! / Stellt Tische auf! / Verkauft eure Sachen! / ...

13b

Was passt? Verbinden Sie.

das Formular — verdienen

die Mail — überweisen

das Geld — ausfüllen

die Datei — schreiben

das Passwort — hochladen

den Betrag — schicken

das Foto — eingeben

das Paket — löschen

So verkaufst du bei DaWanda!

Du machst privat oder beruflich Produkte in Handarbeit? Dann kannst du bei DaWanda Geld **verdienen** und anderen eine Freude machen. Wie das geht? Ganz einfach. Du _____ ein Passwort _____ und _____ deinen Shop in wenigen Minuten. Du _____ nur ein Formular _____ ! Du _____ deinen Artikel _____ und kannst Fotos _____ . Den Artikel kannst du ändern, so oft du möchtest, und natürlich auch wieder _____ .

Du hast den Artikel _____ ? Hurra! Du bekommst automatisch eine E-Mail mit allen Informationen. Du _____ deinem Kunden eine E-Mail mit dem Preis und der Kunde _____ dir den Betrag innerhalb von 7 Tagen. Dann _____ du deinem Kunden das Produkt.

 Seite 116 ÜB

Post ist da!

1
Hallo
Benjamin Glückskind!
Ich nehme den Schal in
Rot! Ich überweise dir das
Geld noch heute. Wann
schickst du mir das Paket?
Schreibst du mir eine
Rechnung?
Ich danke dir!
Viele Grüße, Emil

2
Hallo
Benjamin Glückskind!
Dein Shop gefällt mir sehr!
Verkaufst du mir einen
Schal? Gibt es noch alle
Farben? Empfiehlst du mir
eine Farbe? Wie teuer ist
der Versand?
Viele Grüße aus
Regensburg, Emil

3
Lieber Emil,
das ist eine gute Wahl! ☺
Ich schicke dir das Paket
mit dem Schal gleich
morgen früh. Und ja klar,
ich schreibe dir eine
Rechnung. Viel Freude mit
dem Schal!
Herzliche Grüße,
Benjamin Glückskind

4
Hallo Emil,
meine Artikel gefallen dir?
Das freut mich natürlich.
Ich verkaufe dir sehr gern
einen Schal.
Ich empfehle dir den Schal
in Rot. Der sieht super aus.
Schick mir deine Adresse!
Dann schicke ich dir den
Schal. Der Versand
kostet 4,95 Euro.
Grüße aus Hamburg
schickt dir
Benjamin Glückskind!

 14a

Dein Shop gefällt mir! Lesen Sie und ordnen Sie die Mails.

14b Seite 45 KB

Ergänzen Sie und suchen Sie die Fragen und Sätze im Text.

Ich verkaufe dir sehr gern einen Schal.
Ich empfehle _____ in Rot.
Ich überweise _____ noch heute.
Ich schicke _____ .
Ich danke _____ .
Ich schicke _____ gleich morgen früh.
Ich schreibe _____ .

Verkaufst du _____ ?
Empfiehlst du _____ ?
Meine Artikel gefallen _____ ?
Wann schickst du _____ ?
Schreibst du _____ ?

  15a Track 26

Im Rhythmus: Hören Sie und lesen Sie.

Hallo, schenk mir, zeig mir, schick mir, …
Bitte schenk mir, schreib mir, schick mir, …
    eine Mail, einen Brief, einen Stern,
    ein Geschenk, … ja das hätte ich gern.
Du, ich kauf dir, schenk dir, schick dir, …
Ja du, ich kauf dir, geb dir, schick dir, …
    einen Gruß, einen Stern aus Papier.
    Glücksmomente, die wünsche ich dir.

 15b

Hören Sie noch einmal. Sprechen Sie mit.

 16

Ihr Online-Shop. Spielen Sie Käufer und Verkäufer. Suchen Sie
ein Produkt aus und schreiben Sie eine E-Mail.

*Die Lernenden zeichnen einen Gegenstand und schreiben eine Produkt-
anzeige. Dann werden alle Produkte ausgestellt. Jeder wählt ein Produkt
und schreibt dem Verkäufer. Der Verkäufer antwortet.*

„**SCHICK MIR
DEINE ADRESSE!** "

Seite 117 ÜB

REDEMITTEL

Im Einkaufszentrum

Der Elektroladen ist neben dem Zeitungskiosk.
Das Modegeschäft für Damen und Herren ist im Erdgeschoss.
Das Haushaltswarengeschäft ist im ersten Stock.
Die Buchhandlung ist neben der Bäckerei.
In der Drogerie bekommen Sie auch Sonnencreme.

Einkaufsdialog

Verkäufer: Guten Tag. Kann ich Ihnen helfen?
Käufer: Ich hätte gern … / Ich brauche … /
Ich suche …
Verkäufer: Da zeige ich Ihnen unsere Auswahl. /
… ist im Moment im Angebot.
Haben Sie sonst noch einen Wunsch? /
Sonst noch etwas?
Käufer: Danke, das war's.
Verkäufer: Kommen Sie bitte mit an die Kasse. /
Zahlen Sie bar oder mit Karte?

Online etwas verkaufen

einen Online-Shop eröffnen, ein Passwort eingeben, ein Formular ausfüllen, eine Datei löschen, Fotos hochladen, einen Artikel einstellen, einen Betrag überweisen, eine E-Mail schreiben, ein Paket verschicken

STRUKTUREN

hätte gern + Akkusativ

Ich hätte gern den / einen Topf.
das / ein Smartphone.
die / eine Spülmaschine.
die / – Tabletten.

Demonstrativpronomen (Nominativ und Akkusativ) Clip 25

Welcher Ring gefällt dir? Dieser!
Welchen Ring nimmst du? Diesen!

	Nominativ	Akkusativ
M	welcher / dieser	welchen / diesen
N	welches / dieses	welches / dieses
F	welche / diese	welche / diese
Pl	welche / diese	welche / diese

Etwas begründen mit deshalb

Shoppen gehen macht mich glücklich. Deshalb gehe ich jeden Tag einkaufen.
Ich habe nicht so viel Geld. Deshalb vergleiche ich immer die Preise.

STRUKTUREN

Temporale Präpositionen: ab, nach, seit, vor, zwischen

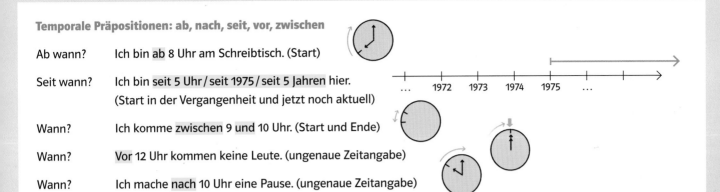

Ab wann?	Ich bin ab 8 Uhr am Schreibtisch. (Start)
Seit wann?	Ich bin seit 5 Uhr / seit 1975 / seit 5 Jahren hier. (Start in der Vergangenheit und jetzt noch aktuell)
Wann?	Ich komme zwischen 9 und 10 Uhr. (Start und Ende)
Wann?	Vor 12 Uhr kommen keine Leute. (ungenaue Zeitangabe)
Wann?	Ich mache nach 10 Uhr eine Pause. (ungenaue Zeitangabe)

Imperativ *Clip 26*

nicht trennbare Verben	**trennbare Verben**
Verdien(e) / Verdient Geld!	Gib / Gebt ein Passwort ein!
Überweis(e) / Überweist Geld!	Lad(e) / Ladet die Fotos hoch!

Verben mit Dativ und Akkusativ

Position 1	Position 2	Dativ	Akkusativ
Ich	kaufe	dem Kind	den / einen / diesen Schal.
Sie	schreibt	dem Kunden	die / eine / diese Mail.
Er	überweist	der Verkäuferin	das Geld.
Sie	empfiehlt	ihren Freunden	die / – Artikel.
Verkaufst	du	mir	den / einen / diesen Hut?
Schick		mir	deine Adresse!

AUSSPRACHE

Konsonantenverbindungen *Track 27*

[ts]		**[ks]**		**[pf]**
Z, z	kurz, Zimmer	x	Felix, Taxi	Pf, pf Pflanze, Topf
zz	Pizza	ks	Kekse	
tz	Mütze	gs	montags	
ts	nachts	chs	sechs	
t(ion)	Lektion			

Alles im Rhythmus *Track 28*

He ihr, hallo, sagt mal, was hättet ihr gern?
He du, hallo, sag mal, was hättest du gern?
Einen Traum? Einen Baum?
Deine Welt oder Geld?
Ein Spielzeugauto? Ein Klavier?
Den Sternenhimmel über dir?

He sagt doch mal, hallo, was kommt noch dazu?
He sag doch mal, hallo, was kommt noch dazu?
Welchen Traum, welchen Traum hättest du gern?
Diesen Sternenhimmel, den geb ich dir gern,
den geb ich dir gern, den geb ich dir gern, diesen Stern.

14

Was sagen Sie mit diesen Smileys?
Ich bin traurig / fröhlich / glücklich / sauer / … Ich lache / …
Welche verwenden Sie oft?
Zeichnen Sie ein paar Smileys und erklären Sie,
wem und wann Sie sie schicken.

Gefühle und Kontakte

A 48

Wahrscheinlich peinlich

→ Das war ihm peinlich. Das ist uns unangenehm.
→ Beim Tanzen bin ich glücklich.
→ Ich freue mich. Er schämt sich. Wie fühlst du dich?

- *Kommunikation: über angenehme und unangenehme Erfahrungen berichten; über Gefühle sprechen*
- *Wortschatz: positive und negative Gefühle*
- *Grammatik: Personalpronomen im Dativ; Nominalisierung mit beim; reflexive Verben*
- *Phonetik: stimmhafte und stimmlose S-Laute*
- *Landeskunde: Unterrichtsfach „Glück"; Weltkarte des Glücks*

B 52

Sich online kennenlernen

→ Blaue Augen, lange Haare – er sieht gut aus!
→ Er hat interessante Hobbys.
→ Ich finde eine rote Rose romantisch!

- *Kommunikation: Online-Profile erstellen; persönliche Angaben verstehen; Personen beschreiben; Gefallen ausdrücken*
- *Wortschatz: Informationen zur Person und zum Aussehen; Meinungen ausdrücken*
- *Grammatik: Adjektivdeklination mit Indefinitartikel (Nominativ und Akkusativ)*
- *Phonetik: Satzakzentuierung*
- *Landeskunde: Komplimente in D-A-CH*

56

Redemittel, Strukturen, Aussprache

A | Wahrscheinlich peinlich

1a

Angenehm oder unangenehm? Sehen Sie die Fotos an.
Wie geht es Ihnen in den Situationen?

Situation … ist mir angenehm / macht mir nichts aus.
Situation … ist mir unangenehm / peinlich.
In Situation … geht es mir gut / nicht gut. Und wie geht es dir?

1b Track 29

Hören Sie. Zu welchen Situationen gibt es Fotos?

1c Clip 27 Seite 56 KB

Hören Sie noch einmal. Ergänzen Sie die Sätze.

oft vor Menschen sprechen | ihre Eltern sie küssen |
ist hingefallen | die waren irritiert | Das ist doch normal

1. Die Frau muss ████████████████████.
   Das ist **ihr** peinlich.
2. Die Frau meint: Wir haben ein Ehepaar umarmt, aber
   ██████████████████. – Das war **uns** sehr peinlich.
3. Der Mann ████████████████.
   Das war **ihm** sehr peinlich.
4. Die Kinder mögen nicht, dass ████████████████.
   Das ist **ihnen** peinlich.
5. Aber die Eltern sagen: Warum ist **euch** das peinlich?
   ████████████.

1d

Schreiben Sie etwas zu einem Foto und lesen Sie die Sätze vor.

Der Mann / Die Frau / Das Kind / Die Leute / …
Das hat ihm aber nichts ausgemacht. / Da ist es ihr nicht gut
gegangen. / Das war ihnen unangenehm. / …

2a Track 30

Im Rhythmus: Hören Sie und lesen Sie.

A: Ich habe ein Pro**blem**.
Chor: Das ist nicht **an**genehm.
A: Das macht mir aber gar nichts **aus**.
Chor: Das macht dir aber **gar** nichts **aus**. **Nein**.

B: Er gibt ihr einen **Kuss** im Bus.
Jeder kann es **sehn**. Das ist ihr **an**genehm.
Chor: Das ist ihr **an**genehm. Das kann man doch ver**stehn**. **Ja**.

A: Er hat einen **Hut**. Der steht ihm **gar** nicht gut.
Oh, das ist ihm **pein**lich, wirklich sehr, sehr **pein**lich.
Chor: Es ist ihm wirklich **pein**lich. Oh, es ist ihm **pein**lich. **Ja**.

AB: Was sind denn das für **Sa**chen? Alle Leute **la**chen.
Das ist uns so **pein**lich, wirklich sehr, sehr **pein**lich.

Chor: Sagt, ist es euch **pein**lich?
AB: **Ja**.
Chor: Es ist ihnen **pein**lich. Wahr**schein**lich.

2b

Hören Sie noch einmal und sprechen Sie (in Gruppen) mit.

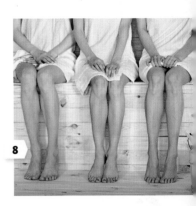

 3a

Nähe und Distanz. Wie viel Abstand braucht man wann wo?
Lesen Sie und ergänzen Sie das Schaubild mit den Fahnen.

Kennen Sie das? Die U-Bahn ist sehr voll und Sie haben keinen Platz. Oder Sie lernen gerade jemanden kennen und die Person umarmt und küsst Sie. Ist Ihnen das unangenehm und peinlich? Das heißt, Sie möchten Distanz. So ist das zum Beispiel in den USA, Japan oder in Nordeuropa. Die Menschen halten dort mindestens einen Meter Distanz. Nur Familienmitglieder und Freunde dürfen näher kommen. Viel Körperkontakt hat man in Südamerika, Südeuropa, zum Teil in Afrika oder auch in Russland. Körperkontakt bedeutet dort: Ich vertraue dir. Aber Achtung: Überall gibt es noch spezielle Regeln. Nicht immer darf man allen Menschen zu nahe kommen.

Deutschland

Nähe ———————————→ Distanz

die USA Brasilien Spanien
Schweden Russland Südafrika Japan

 3b

Wie viel Abstand brauchen Sie persönlich? Zu welcher Kultur gehören Sie? Sprechen Sie.

 4

Was ist Ihnen unangenehm? Sammeln Sie Situationen.
Vergleichen Sie dann und machen Sie eine Kursstatistik.

Zuerst die Situationen in Gruppen sammeln, dann im Plenum.
Die Lernenden notieren alle Situationen auf einem Zettel und kreuzen an,
was für sie unangenehm ist. Dann die Zettel einsammeln und auswerten.

Fast alle finden Situation 1 unangenehm.
Viele finden Situation …
Nur eine Person findet …

	Diese Situationen sind mir unangenehm:
X	1. im Fahrstuhl fahren
	2. ein Mann / eine Frau spricht mich an
	3. Deutsch sprechen
	4. viele Menschen
	5. …

„*DAS WAR MIR SEHR UNANGENEHM!*"

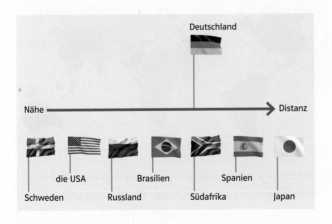

Seite 122 ÜB

Nur eine Frage

Sarah und Carsten

Jenny

Robin

Silke und Hendrik

5a Track 31

Wann sind Sie glücklich? Hören Sie und ordnen Sie zu.

beim Joggen | beim Shoppen | beim Chillen mit Freunden |
beim Malen | beim Küssen | beim Computerspielen |
beim Tanzen | beim Musikhören | beim Chatten mit … |
beim Singen | beim Arbeiten | beim Kochen | beim …

Silke ist beim … glücklich. Hendrik ist beim …

5b

Und Sie? Wann sind Sie glücklich? Erzählen Sie.

„*BEIM TANZEN BIN ICH GLÜCKLICH.*"

6a

Kann man Glück lernen? Lesen Sie.

An vielen Schulen in D-A-CH gibt es das Fach „Glück". Was lernen die Kinder da? Zum Beispiel haben Schüler und Schülerinnen der Anne-Frank-Schule Menschen auf der Straße gefilmt und sie gefragt: „Was ist für Sie Glück?" Aus den Antworten haben sie einen interessanten Film gemacht. Sie haben auch ein Buch mit Glücks-Rezepten geschrieben. Jeder Schüler und jede Schülerin hat aufgeschrieben, was ihn oder sie glücklich macht. Beim Filmen und Schreiben haben sie viel gelernt: „Ich kann mein Leben selbst gestalten", sagen die Schüler. „Man muss nicht immer besser als die anderen sein, jeder kann irgendetwas besonders gut. Beim Arbeiten miteinander, aber auch beim Spielen und Musikmachen kann man das erkennen."

6b

Was haben die Schüler gelernt? Fassen Sie zusammen.

7a Track 32 Seite 57 KB, Seite 129 ÜB

Stimmhafte und stimmlose S-Laute. Hören Sie und lesen Sie.

Seid glücklich im Sommer beim Baden im See,
beim Essen, beim Küssen und am Sonntag im Café,
beim Singen, beim Musikhören und in der Mittagspause,
beim Lesen, beim Reisen und meistens auch zu Hause,
beim Fußball, beim Tennis und beim Barfußlaufen.
Vergesst nicht: Das Glück, das kann man nicht kaufen.

7b

Hören Sie noch einmal und sprechen Sie mit. Sprechen Sie S/s stimmhaft und s/ss/ß stimmlos.

8a

**Wo sind die Menschen glücklich, wo nicht?
Was glauben Sie: Was sind die Gründe?**

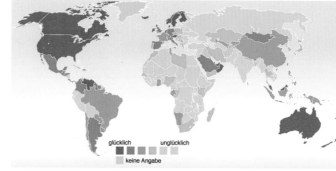

glücklich   unglücklich
keine Angabe

Der britische Forscher Adrian White und sein Team haben 80.000 Menschen weltweit gefragt: Sind Sie glücklich? Fragen waren: Wie ist das Gesundheitssystem im Land? Verdiene ich genug? Gibt es gute Schulen? Ist mein Land schön?

8b

Wie ist das in Ihrem Land? Was sind Ihre Antworten?

Seite 123 ÜB

Fremdschämen

Schämen Sie sich manchmal für andere?

Das Wort „Fremdschämen" ist ziemlich neu, es steht erst seit 2009 in den Wörterbüchern. Es bedeutet, dass wir uns schämen, weil andere sich nicht richtig verhalten.

Joshi: Ich war gestern im Bus und eine alte Frau ist eingestiegen. Niemand ist aufgestanden. Da habe ich mich wirklich geschämt. Ich habe der Dame meinen Platz gegeben. Sie hat sich sehr gefreut.

Grit: Mein Mann und ich, wir ärgern uns im Urlaub oft über andere Landsleute, weil sie sich so schlecht benehmen.

Milan: Mein Freund hat im Kino laut telefoniert. Die Leute waren sauer und ich habe mich gar nicht wohl gefühlt. Ich habe ihn gefragt: „Schämst du dich nicht?" Aber mein Freund ist ganz cool geblieben.

Gabi: Meine Chefin hatte nach dem Mittagessen Essensreste im Gesicht. Mir war das peinlich und ich habe es ihr gesagt. Sie hat sich bedankt.

Ben: Neulich sind Vera und Jim zu spät zum Unterricht gekommen. Die Lehrerin war sauer und hat gesagt: „Beeilt euch! Alle warten." Das war mir unangenehm.

„*DA HABE ICH MICH GESCHÄMT.*"

  Seite 56 KB

Fremdschämen. Welcher Text passt zu welchem Foto?

Lesen Sie die Texte noch einmal und ergänzen Sie die Tabelle.

ich	fühle	mich wohl
du	schämst	
er	bedankt	
sie	freut	
wir	ärgern	
ihr	beeilt	
sie	benehmen	

  Track 33

Im Rhythmus: Hören Sie und lesen Sie.

Dein Nachbar im **Ki**no singt laut und **wun**derbar.
Ärgere dich **nicht**. Er **freut** sich doch nur.
Eine Frau auf der **Par**ty hat 'ne **Ro**se im Haar.
Schäme dich nicht. Sie **freut** sich doch nur.
Ein Paar im **Park** tanzt verrückt auf 'ner **Bank**.
Schäme dich nicht. Sie **freu**en sich doch nur.
Sie fühlen sich **wohl**. Deshalb sagt herzlichen **Dank**.
Freut euch und **schämt** euch nicht. **Lacht** doch nur.

Hören Sie noch einmal und sprechen Sie im Rhythmus mit.

Spiel: Hast du dich heute schon gefreut? Würfeln Sie.
Ist die Antwort Ja? Dann erzählen Sie.

 Hast du dich heute schon bedankt?

 noch einmal würfeln

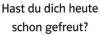
Hast du dich heute schon gefreut?

 Hast du dich gestern geärgert?

 Hast du dich gestern beeilt?

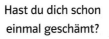 Hast du dich schon einmal geschämt?

 Seite 124 ÜB

B | Sich online kennenlernen

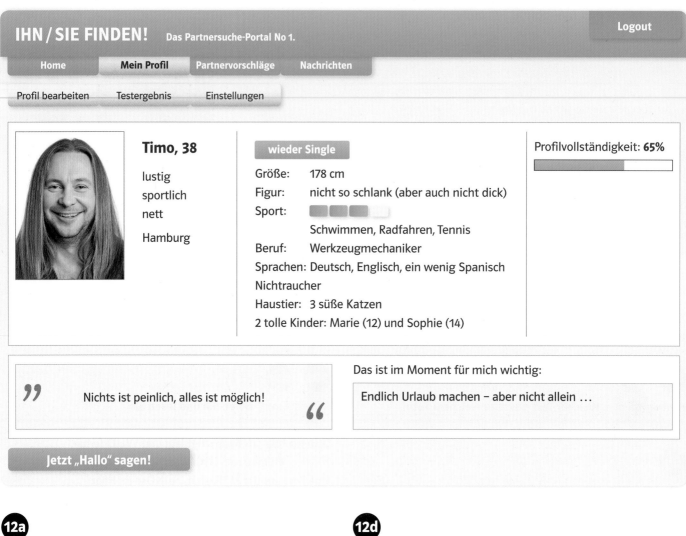

IHN / SIE FINDEN! Das Partnersuche-Portal No 1.

Logout

Home | **Mein Profil** | Partnervorschläge | Nachrichten

Profil bearbeiten | Testergebnis | Einstellungen

Timo, 38

lustig
sportlich
nett

Hamburg

wieder Single

Größe: 178 cm
Figur: nicht so schlank (aber auch nicht dick)
Sport:
Schwimmen, Radfahren, Tennis
Beruf: Werkzeugmechaniker
Sprachen: Deutsch, Englisch, ein wenig Spanisch
Nichtraucher
Haustier: 3 süße Katzen
2 tolle Kinder: Marie (12) und Sophie (14)

Profilvollständigkeit: **65%**

„ Nichts ist peinlich, alles ist möglich! "

Das ist im Moment für mich wichtig:

Endlich Urlaub machen – aber nicht allein …

Jetzt „Hallo" sagen!

12a

Partnersuche. Sehen Sie sich die Profile an.

Was haben die zwei Personen gemeinsam? Markieren Sie. 👥

12b 🔊 *Track 34*

Hören Sie. Gefällt Paula Timo?

12c

Hören Sie noch einmal. Was stimmt? Kreuzen Sie an.

 Lange Haare sind doch toll!
Lange Haare sind langweilig!

So süße Katzen sind das!
So verrückte Katzen!

Das sind sicher nette Kinder, die sind ja schon groß!
Das sind sicher sympathische Kinder – das sind Zwillinge!

12d

Zählen Sie auf: Was gefällt Paula an Timo?

Lange Haare, …

12e

Was gefällt Ihnen an einem Mann / einer Frau? Notieren Sie.

 Blaue Augen sind ein Traum!
Braune Augen sind wunderschön!

Uninteressante Hobbys stehen im Profil.
Im Profil stehen interessante Hobbys.

blonde, kurze Haare
grüne Augen
Figur: normal, sportlich
sympathische Freunde
tolle Reisen

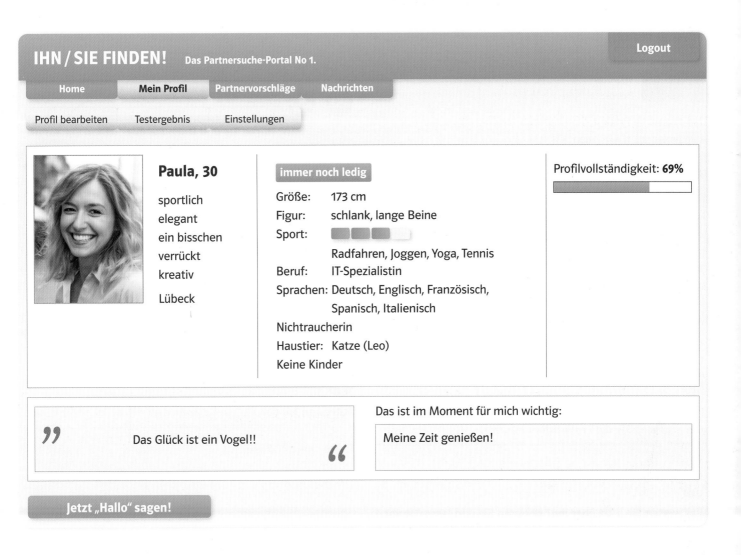

IHN / SIE FINDEN! Das Partnersuche-Portal No 1.

Logout

Home | Mein Profil | Partnervorschläge | Nachrichten

Profil bearbeiten | Testergebnis | Einstellungen

Paula, 30

sportlich
elegant
ein bisschen
verrückt
kreativ

Lübeck

immer noch ledig

Größe: 173 cm
Figur: schlank, lange Beine
Sport: ▓▓▓
Radfahren, Joggen, Yoga, Tennis
Beruf: IT-Spezialistin
Sprachen: Deutsch, Englisch, Französisch,
Spanisch, Italienisch
Nichtraucherin
Haustier: Katze (Leo)
Keine Kinder

Profilvollständigkeit: **69%**

"
Das Glück ist ein Vogel!!
"

Das ist im Moment für mich wichtig:

Meine Zeit genießen!

Jetzt „Hallo" sagen!

13a

Partnerinterview: Wie ist Ihr Partner?

Fragen Sie und schreiben Sie ein Profil für Ihren Partner.

Wo wohnst du? Was für einen Beruf hast du? Hast du Kinder?
Bist du verheiratet oder Single? Hast du Haustiere? Rauchst du?
Was ist für dich im Moment wichtig? Wie beschreibst du dich? ...

13b

Hängen Sie die Profile auf und kommentieren Sie sie.

Interessante Hobbys!

Nette Kinder!

...

„*INTERESSANTE HOBBYS!*"

 Seite 125 ÜB

Ehrliche Kontaktanzeigen

Name: Timo **Alter:** **Größe:**
Wohnort:
Beruf:

Das sagen die Freunde: ein bisschen verrückt, liebt schnelle Autos mehr als tolle Frauen
Geht immer: Sport, Autorennen im Fernsehen, lange schlafen
Geht gar nicht: Ein Leben ohne Spaß!

Timo: „Ich kann nicht warten. Ich bin immer schnell: beim Arbeiten, beim Reden, beim Essen, beim Chatten, beim Sport, ... Ich habe nette Freunde, aber leider sind die nicht so schnell wie ich. Ich möchte ferne Länder besuchen – meine Traumfrau reist dann mit mir um die Welt. Für meine Reisen habe ich auch schon tolle Pläne: Ich fliege in ein Land und miete mir dort ein Auto. So sehen wir in ein paar Tagen wunderschöne Städte, lernen nette Menschen kennen. Viel Spaß – jede Minute ist ein Traum!"

  Track 35

Im Rhythmus: Hören Sie und lesen Sie mit. Achten Sie auf die Betonung zwischen / und /.

Er hat bunte Haa̲re / und im Ohr große Ringe. /
Er fährt schnelle Autos / und er mag coole Dinge. /
Er hört laute Musik / und er trägt kaputte Hosen. /
Und seiner Freundin / schenkt er gern rote Rosen. /

15b

Hören Sie noch einmal. Markieren Sie die betonten Silben.

15c

Schreiben Sie den Text in Rhythmusschrift. Lesen Sie ihn vor.

Er hat bunte **Haa**re ...

14a

„Ich kann nicht warten." Lesen Sie Timos Kontaktanzeige und ergänzen Sie die Profil-Informationen.

14b

Was wissen Sie jetzt über ihn? Notieren Sie und lesen Sie vor.

Er hat lange Haare, ...
Er liebt schnelle Autos ...
Er möchte ferne Länder ...

16a

Ihre Kontaktanzeige. Schreiben Sie eine Kontaktanzeige für einen Kurskollegen.

  Clip 28 *Seite 57 KB*

Was meinen Sie? Ergänzen Sie die Sätze.

16b

Lesen Sie die Anzeige laut vor. Die anderen raten, wer das ist.

Das ist bestimmt ... Ich glaube, das ist ...
Wahrscheinlich ist das ...

(un)wichtig | (nicht so) toll | wunderbar | schön | (un)interessant | (un)cool | lustig | spannend | (m)ein Traum | peinlich | ein Glück

Akkusativ	Nominativ
Er hat lange Haare.	Lange Haare sind cool.
Er hat braune Augen.	Braune Augen sind ...
Er hat interessante Hobbys.	Interessante Hobbys sind ...
Er liebt schnelle Autos.	Schnelle Autos sind ...
Er hat nette Kinder.	Nette Kinder sind ...
Er möchte ferne Länder besuchen.	Ferne Länder sind ...
Er hat viele Pläne.	Viele Pläne sind ...
Er hat schöne Zähne.	Schöne Zähne sind ...

„*ER HAT VIELE PLÄNE.* "

 Seite 126 ÜB

Blind Date

17a

Erkennungszeichen. **Lesen Sie die E-Mail. Wie geht es Timo? Welcher Satz passt? Wählen Sie.**

1. Timo hat Stress, weil er auch abends mit einer Kollegin für ein neues Projekt arbeiten muss.
2. Timo ist ein bisschen nervös und unsicher, weil er am Abend eine unbekannte Frau trifft.
3. Timo ist glücklich, sehr verliebt und organisiert ein romantisches Abendessen für zwei.

17b

Wie beschreibt Timo die Frau? Markieren Sie und notieren Sie.

Sie ist …
Sie hat …

  Seite 57 KB

18a

Eine rote Rose. **Lesen Sie Jochens Antwort. Welche Erkennungszeichen nennt er? Sortieren Sie.**

Die Erkennungszeichen sind:
ein bunter Pullover, ein großer …
ein schnelles Fahrrad, ein lustiges …
eine rote Rose, eine intellektuelle …

18b

Warum findet Jochen diese Erkennungszeichen gut?

Jochen findet einen großen Hut modisch.
Er findet eine rote Rose gut, weil sie romantisch ist.
Timos Freund findet ein lustiges T-Shirt witzig.

  Track 36

18c

Hören Sie: Was denkt Timo (T), was denkt Paula (P) beim Treffen? Ordnen Sie zu.

Eine rote Rose? Oh nein!
Einen schwarzen Pullover – sehr modisch!
Aber kurze Haare – auf dem Foto waren die lang …
Eine schwarze Sonnenbrille – cool!
Eine tolle Figur – echt super!
Einen großen Hut – witzig!
So ein nettes Lachen …

Hi Jochen,

du – ich hab ein wenig Stress … Du weißt ja: Ich habe mein Profil online gestellt. Und jetzt ist es passiert: Heute Abend wird es romantisch ☺ Wir treffen uns! Ich kenne sie ja nicht … Aber ich denke, sie ist eine nette Person! Und eine hübsche Frau … Du hast das Foto ja gesehen … eine sportliche Figur hat sie auch noch … lange Beine … und sie hat eine süße Katze.

Mal sehen – stressig ist das schon irgendwie, mein Projekt fürs Privatleben … Eine junge Frau einfach so treffen? Kannst du mir helfen? Ich brauche ein interessantes Erkennungszeichen … Eine rote Rose ist blöd, oder? Was meinst du? Du bist doch ein echter Experte bei Blind Dates … Antworte mir bitte schnell, ich muss alles organisieren …
Gruß, Timo

Hi Timo,

ein wenig nervös bist du aber schon … Das wird sicher super heute Abend!! Mögliche Erkennungszeichen sind: natürlich eine rote Rose (romantisch), eine intellektuelle Zeitung (professionell), ein lustiges T-Shirt (witzig), eine bunte Einkaufstasche (nett), eine schwarze Sonnenbrille (interessant), ein großer Hut (modisch), ein schnelles Fahrrad (sportlich), ein bunter Pullover (sympathisch) … Was findest du spontan gut? Das nimm einfach – dann geht sicher alles gut und ihr habt einen schönen Abend. Mach's gut – bis morgen …
Jochen

„EINE ROTE ROSE, WIE ROMANTISCH!“

19

Welche Erkennungszeichen finden Sie gut? Notieren Sie und erklären Sie sie. Ihre Kurskollegen kommentieren.

A: Ich finde eine schwarze Sonnenbrille toll, weil das cool ist.
B: Ja, das ist gut!
C: Ich finde einen bunten Regenschirm toll, weil …
B: Aber die Sonne scheint!
A: Eine lustige Mütze ist gut, weil …
C: Eine Mütze … aber nur im Winter, oder?

 Seite 127 ÜB

REDEMITTEL

Wie fühlst du dich in der Situation?

Das ist mir sehr peinlich.
Das ist mir unangenehm.
Das macht mir nichts aus.
Da geht es mir gut / nicht gut.

Gefühle

Ich ärgere mich, weil sich die anderen Leute nicht gut benehmen.
Du freust dich, dass du einen Job gefunden hast.
Er schämt sich, weil er die Antwort nicht weiß.
Sie ist glücklich, weil sie sich verliebt hat.
Sie fühlen sich wohl, weil ihre Freunde alle gekommen sind.

Personen beschreiben

Meine Traumfrau:
Sie hat blaue Augen, blonde Haare,
einen großen Mund und eine witzige
Nase. Sie ist lustig und romantisch.

Mein Traummann:
Er hat braune Augen, schwarze Haare,
weiße Zähne und sieht sehr gut aus.
Er ist sportlich und sympathisch.

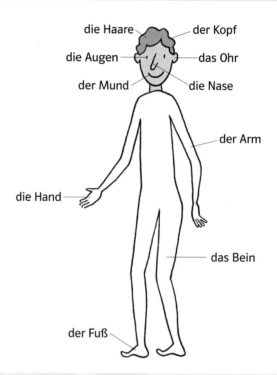

die Haare — der Kopf
die Augen — das Ohr
der Mund — die Nase
der Arm
die Hand
das Bein
der Fuß

STRUKTUREN

Personalpronomen im Dativ Clip 27

Das ist mir peinlich.
Das ist dir unangenehm.
Das gefällt ihm nicht.
Das macht ihr nichts aus.
Es geht uns gut.
Wie geht es euch?
Es geht ihnen nicht gut.

Reflexive Verben

ich freue mich
du bedankst dich
er schämt sich
sie ärgert sich
wir beeilen uns
ihr benehmt euch
sie fühlen sich wohl

Nominalisierung

tanzen – beim Tanzen
küssen – beim Küssen
lesen – beim Lesen

Adjektivdeklination mit Indefinitartikel *Clip 28*

Nominativ		Akkusativ	
(der)	ein bunter Pullover	(den)	einen bunten Pullover
(das)	ein schnelles Fahrrad	(das)	ein schnelles Fahrrad
(die)	eine rote Rose	(die)	eine rote Rose
(die, Pl.)	— lange Haare	(die, Pl.)	— lange Haare

Das sind Erkennungszeichen:

ein bunter Pullover
ein großer Hut

ein schnelles Fahrrad
ein lustiges T-Shirt

eine rote Rose
eine schwarze Sonnenbrille

lange Haare

Was haben die Leute?

Er hat einen bunten Pullover an.
Sie hat einen großen Hut auf.

Das Mädchen hat ein schnelles Fahrrad.
Der Mann hat ein lustiges T-Shirt an.

Der Junge hat eine rote Rose.
Die Frau hat eine schwarze Sonnenbrille.

Er hat lange Haare.

S-Laute *Track 37*

Stimmhafte S-Laute	Stimmlose S-Laute
S, s **S**ommer, Rei**s**e	s da**s**, mei**s**tens
	ss E**ss**en
	ß Fu**ß**ball

Alles im Rhythmus *Track 38*

Ich fühle mich …, **du** fühlst dich …, **er** fühlt sich **gut**.
Wir fühlen uns …, **ihr** fühlt euch …, **sie** fühlt sich **gut**.
Blaue Augen, **grau**e Augen. **Ach** ganz e**gal**.
Lange Haare, **kur**ze Haare. **Al**les nor**mal**.
Mir ist alles …, **dir** ist alles … **sehr** angenehm.
Euch ist alles …, **ihr** ist alles … **sehr** angenehm.
Blonde Haare, **brau**ne Haare. **Al**les per**fekt**.
Schwarze Schuhe, **bun**te Schuhe. **Al**les kor**rekt**.
Wir fühlen uns …, **sie** fühlen sich …, **ihr** fühlt euch **wohl**.
Ich fühle mich …

15

Beschreiben Sie das Bild.
Was ist das? Sport oder Spiel?
Was machen Sie lieber?

Sport und Spiel

A   60

Sportlich, sportlich!

→ Petra rennt schnell, Maria rennt schneller, Steffi rennt am schnellsten.
→ der Trainer, das Tor, die Mannschaft
→ der kleine Junge, das große Mädchen, die tolle Mannschaft
→ sich aufwärmen, den Ball spielen, aufs Tor schießen, gewinnen, verlieren
→ Spielt fair! Wir sollen fair spielen.

• *Kommunikation: über Sportler sprechen und sie vergleichen; Personen beschreiben; Anweisungen verstehen*
• *Wortschatz: Sportler und Sportlerinnen, Sportarten und Aktivitäten beim Sport*
• *Grammatik: Superlativ (prädikativ); Adjektivdeklination mit Definitartikel im Nominativ; Modalverb sollen*
• *Phonetik: Sch-Laute (sch, st, sp)*
• *Landeskunde: Sportler aus D-A-CH; Jugendfußball aus Marburg*

B   64

Wir spielen gern!

→ Wenn wir Glück haben, dann gewinnen wir.
→ die Spielfigur, das Feld, der Würfel, das Team, die Spielanleitung
→ raten, würfeln, das Ziel erreichen
→ Der Preis für den schönen Spielplan, für das beste Spiel, für die verrückte Idee.

• *Kommunikation: eine Spielanleitung verstehen; einen Begründungstext verstehen; eine Gedichtstrophe schreiben*
• *Wortschatz: Spielvokabular*
• *Grammatik: wenn-dann-Sätze; Adjektivdeklination mit Definitartikel im Akkusativ und Superlativ*
• *Phonetik: Wortgruppen zusammenhängend sprechen*
• *Landeskunde: Gesellschaftsspiele in D-A-CH*

68

Redemittel, Strukturen, Aussprache

A | Sportlich, sportlich!

Welche Sportler und Sportlerinnen waren am besten, am erfolgreichsten in diesem Jahr? Wer war am beliebtesten? Jedes Jahr wählen Sportjournalisten in Deutschland und Österreich ihre Sportler des Jahres, in der Schweiz dürfen auch das Fernsehpublikum und Sportler wählen. Auch 2014 haben wieder viele tolle Sportler den Preis bekommen. Wir stellen drei Sport-Stars vor:

```
ROGER FEDERER,
Tennisspieler
Geburtstag: 08.08.1981
Geburtsort: Basel, Schweiz
Größe: 186 cm
Erfolgreicher war keiner:
17 Mal Grand Slam im Einzel
gewonnen, 5 Jahre die Nummer 1
auf der Weltrangliste, ...
Der Tennis-Crack war vier-
mal Weltsportler des Jahres,
sechsmal Schweizer Sportler
des Jahres.
```

```
MARIA HÖFL RIESCH,
Skirennläuferin
Geburtstag: 24.11.1984
Geburtsort:
Garmisch-Partenkirchen,
Deutschland
Größe: 181 cm
Schneller war keine:
3 Olympiasiege, 2 Weltmeister-
titel gewonnen. Nach 14 Jahren
Skirennfahren beendet sie ihre
Karriere und ist zum zweiten
Mal Sportlerin des Jahres.
```

```
DAVID ALABA,
Fußballer
Geburtstag: 24.06.1992
Geburtsort: Wien, Österreich
Größe: 180 cm
Jünger war keiner: Mit 17
Nationalspieler und Bundes-
liga-Profi. Der Österreicher
war schon viermal Fußballer
des Jahres und zweimal Sport-
ler des Jahres.
```

1a

Sportler des Jahres. **Kennen Sie diese Sport-Stars?**
Lesen Sie und ordnen Sie die Steckbriefe den Fotos zu.

„WIR SIND AM SCHNELLSTEN!"

1b

Vergleichen Sie die Sportler.

... ist erfolgreicher als ...   ... ist am erfolgreichsten.
... ist jünger als ...   ... ist am jüngsten.
... ist älter als ...   ... ist am ältesten.
... ist größer als ...   ... ist am größten.
... hat häufiger als ...   ... hat am häufigsten ... gewonnen.

... ist fast genauso jung / alt / groß / ... wie ...

Wer ist fast genauso groß wie
Maria Höfl-Riesch?
Wer ist jünger / älter als ...?
Wer hat den Preis ‚Sportler des
Jahres' am häufigsten gewonnen?

1c

Wählen Sie ein Interview und verbinden Sie Fragen und Antworten. Stellen Sie dann Ihren Sportler den anderen vor.

1. Frau Höfl-Riesch, Sie sind größer als andere Skifahrerinnen. War das ein Problem für Sie?

2. Sie haben viele Medaillen gewonnen. Welcher Erfolg war für Sie am schönsten?

3. Wann waren Sie am glücklichsten?

---

1. Herr Federer, Sie haben den Preis nun schon zum 6. Mal bekommen. Wie fühlen Sie sich?

2. Was ist Ihnen neben dem Sport am wichtigsten?

3. Welches Spiel ist für Sie unvergesslich? Wo und wann haben Sie am längsten gespielt?

---

1. Herr Alaba, Sie sind nicht nur am jüngsten, sie sind auch sehr beliebt. Am beliebtesten sind Sie in Ihrem Heimatland Österreich. Sie waren schon zweimal Fußballer des Jahres, jetzt Sportler des Jahres. Wie fühlen Sie sich?

2. Was für Musik hören Sie am liebsten und am häufigsten?

3. Welche Sportart interessiert Sie außer Fußball am meisten?

1d

Gibt es diesen Preis auch in Ihrem Land? Wer hat ihn zuletzt gewonnen? Berichten Sie.

Vielleicht heute. Der Preis ist für mich ein perfekter Abschluss meiner Sportkarriere.

Am schönsten waren die Olympischen Spiele.

Nein, ich war immer am größten.

Das war bei der Olympiade 2012. Da habe ich am längsten gespielt: 4:26 Stunden. Das war ein echter Krimi!

Meine Familie ist mir am wichtigsten. Mit meinen Kindern spielen, mit ihnen zusammen sein, das ist am schönsten.

Ich bin sehr zufrieden. Sportlich und privat kann's nicht besser gehen.

Ich höre gern und oft Hip-Hop und Rap. Meine Familie ist sehr musikalisch und mein Vater war selbst ein Rapper.

Basketball. Ich gehe sehr gern zu Basketballspielen.

Ich freue mich natürlich über die Preise und die Fans, aber ich bleibe auf dem Boden. Ich habe ein ziemlich normales Leben, einen klaren Tagesablauf. Das ist am besten.

 2a

Partnerinterview: Fragen Sie und machen Sie Notizen.

1. Welche Sportarten interessieren dich am meisten?
2. Welche Sportler findest du am sympathischsten / am …?
3. Welche Sportart kannst du am besten?

2b

Stellen Sie Ihren Partner / Ihre Partnerin vor.

… interessiert Volleyball, Turnen, …
… findet … toll, weil er / sie am besten … / am schnellsten … / …
Er / Sie kann gut …, aber … kann er / sie besser. Am besten …

Basketball

Volleyball

Surfen

Boxen

Turnen

Rennen

Seite 132 ÜB

Fußballbegeistert

3a *Track 39*

Ein Interview. Sehen Sie das Bild an. Welche Informationen bekommen Sie? Hören Sie dann.

3b

Hören Sie noch einmal. Der Trainer stellt seine Mannschaft vor. Was passt? Verbinden Sie.

Der kleine Junge ist — eine tolle Gruppe.
Der dunkelhaarige Junge ist — ein begabter Spieler.
Der blonde Junge ist — aktive Fußballspieler.
Das große Mädchen ist — eine fantastische Fußballerin.
Die junge Mannschaft ist — ein sicherer Torwart.
Der ältere Kollege ist — ein schneller Spieler.
Die engagierten Trainer waren — ein erfolgreicher Trainer.

3c *Clip 29* *Seite 69 KB*

Fragen Sie sich gegenseitig.

A: Wer ist ein begabter Spieler? Wer ist eine fantastische Fußballerin? Wer …?
B: Der kleine Junge. Das große Mädchen. Die junge Mannschaft. Die engagierten Trainer.

„DIE JUNGE MANNSCHAFT IST TOLL!“

4a

Unsere Mannschaft. Wie sportlich sind Sie?
Beschreiben und zeichnen Sie eine bunte Mannschaft.

Die Lernenden bilden 2 große Gruppen und sprechen über ihre sportlichen Fähigkeiten. Danach stellen sie eine Mannschaft zusammen.

schnell | gut | begeistert | stark | sicher | …
Läufer/in | Basketballspieler/in | Tänzer/in | Tennisspieler/in | Schwimmer/in | Boxer/in | Radfahrer/in | …

Das ist unsere Mannschaft:

Die gute Boxerin, der tolle Tänzer, der Sportmuffel, …

4b

Tauschen Sie die Zettel mit der anderen Gruppe. Raten Sie: Wer ist wer?

Die Lernenden tauschen ihre Mannschaftszettel und raten, wer was ist.

A: Wer ist die gute Boxerin?
B: Hm, vielleicht ist … die gute Boxerin.
A: Wer ist der tolle Tänzer?
B: Ich glaube, … ist der tolle Tänzer.
A: Und wer ist der Sportmuffel?
B: Das ist bestimmt …

 Seite 133 ÜB

Wir sollen aufs Tor schießen!

5a

Vor, bei, nach dem Training. **Was machen die Kinder wann?**

aufs Feld laufen

sich die Schuhe (zu)binden

Vor dem Training:

Beim Training:

sich anziehen

sich aufwärmen

fair spielen

kein Kaugummi essen

Nach dem Training:

aufs Tor schießen

sich duschen

Wasser trinken

Ball spielen

5b

Was sagt der Trainer? Schreiben Sie.

Bindet euch die Schuhe zu!
Spielt fair!
…

5c 🔊 Track 40

Hören Sie. Was sagen die Kinder? Ergänzen Sie.

Wir sollen uns die Schuhe zubinden.
Wir sollen fair spielen.
…

„WIR SOLLEN FAIR SPIELEN!"

6a

Trainingstipps. **Lesen Sie. Was sollen Sie tun?**

Trainingstipps für Jogger: bequeme Kleidung tragen, sich aufwärmen, langsam anfangen, dann schneller laufen, nicht zu lange, nicht zu kurz laufen, ruhig atmen, genug Wasser trinken.

Man soll bequeme Kleidung tragen. Man soll sich aufwärmen. Man soll …

6b

Ihre Sportart: Notieren und zeichnen Sie Tipps (im Infinitiv).

6c

Was soll man machen? Tauschen Sie sich aus.

Beim … soll man zuerst …, dann soll man … und dann …

7a 🔊 Track 41 📄 Seite 69 KB, Seite 139 ÜB

Sch-Laute: Hören Sie und achten Sie auf sch, sp, st.

Sport, **Sp**ort, wir lieben **Sp**ort.
Fußball**sp**ielen an jedem Ort.
Wir **sp**ielen Fußball überall.
Ein **st**arker **Sp**ieler hält den Ball.
Zum **Sch**luss ein Tor. Ja so ein **Sp**aß!
Ein **sch**neller **Sp**ieler. So geht das.
Die ganze Mann**sch**aft **sch**reit im Chor:
Stark, fantasti**sch**! Tor!!! Tor!!! Tor!!!

7b

Hören Sie noch einmal. Sprechen Sie mit.

📄 Seite 134 ÜB

B | Wir spielen gern!

8a

Aktiv im Team. Sehen Sie den Spielplan an. Kennen Sie das Spiel? Lesen Sie die Spielanleitung.

Man braucht:
Stifte und Papier, eine Stoppuhr (Mobiltelefon),
pro Gruppe eine Spielfigur und einen Würfel

So geht's:
4–5 Spieler pro Gruppe. Mischen Sie die Karten
und stellen Sie die Spielfiguren auf „Start".
Ein Team beginnt und würfelt: 1 und 4 = 1 Feld vor,
2 und 5 = 2 Felder vor; 3 und 6 = 3 Felder vor.
Ein Spieler nimmt die erste Karte und erklärt, malt
oder spielt das Wort vor. Das Team muss das Wort in
60 Sekunden raten.

Wenn man auf ein blaues Feld kommt, dann erklärt man das
Wort. Man darf es aber nicht nennen.
Wenn man auf ein grünes Feld kommt, dann malt man das
Wort. Man darf aber keine Wörter schreiben.
Wenn man auf ein rotes Feld kommt, dann spielt man das
Wort vor. Man darf aber nicht sprechen.

Wenn das Team das Wort rät, dann kann die Spielfigur auf
dem Feld stehen bleiben.
Wenn das Team das Wort nicht rät, dann muss die Spielfigur
ein Feld zurück.
Danach ist das nächste Team an der Reihe.
Wenn ein Team das Ziel erreicht hat, ist das Spiel vorbei.

Viel Glück!

Sonnen-brille

Wenn man alte Dinge kaufen will, dann geht man auf den …

Floh-markt

müde

Wenn ich ins Bett gehe, dann bin ich …

Kerze

 8b *Clip 30*

Erklären Sie sich gegenseitig das Spiel:
Was müssen Sie tun?

Wenn das Spiel beginnt, dann stehen alle Spielfiguren auf Start.
Wenn man auf ein rotes Feld kommt, dann …
Wenn ein Spieler ein Wort erklärt, dann …
Wenn man das Wort in 60 Sekunden rät, dann …
Wenn ein Team das Ziel erreicht, dann …
…

 8c

Spielen Sie das Spiel: Schreiben Sie zuerst die Wortkarten.
Bilden Sie dann Teams. Alle Regeln klar? Starten Sie.

Schnee | Sonnenbrille | Kerze | Familie | Brötchen | Fußball |
Flohmarkt | Klavier | Bank | Rose | Turm | …
sich freuen | sich schämen | aufräumen | singen | boxen | …
müde | traurig | laut | lustig | lecker | …

„WENN WIR GLÜCK HABEN, DANN GEWINNEN WIR. "

 9a *Track 42*  *Seite 139 ÜB*

Im Rhythmus: Hören Sie und lesen Sie.
Achten Sie auf die Pausen.

 9b

Hören Sie noch einmal und sprechen Sie mit.
Sprechen Sie Wörter zwischen / und / ohne Pausen.

Wenn das Spiel be**ginnt**, / wenn das Spiel be**ginnt**, / dann stehen alle hier auf **Start**. /
Nur wer **wagt**, gewinnt. / Nur wer **wagt**, gewinnt. / Wenn du ver**lierst**, / dann ist es **hart**. /
Wenn du das Ziel er**reichst**, / ja dann hast **du** vielleicht / einen großen **Glücks**moment. /
Wenn du mit uns **spielst**, / wenn du mit uns **spielst**, / dann gib **ein**hundert Prozent. /

Wenn der **Tag** beginnt, / wenn der **Tag** beginnt, / dann steht alles hier auf **Start**. /
Nur wer wagt, ge**winnt**. / Nur wer wagt, ge**winnt**. / Wenn man ver**liert**, / dann ist es **hart**. /
Wenn man das Ziel er**reicht**, / und das ist gar nicht **leicht**, / dann hat man diesen **Glücks**moment. /
Wenn du den Tag be**ginnst**, / wenn du den Tag be**ginnst**, / dann gib **ein**hundert Prozent. /
Dann gib **ein**hundert Prozent, / dann gib **ein**hundert Prozent.

 Seite 135 ÜB

Das beste Spiel

 10a

Spiel des Jahres. Lesen Sie. Welche Preise gibt es?

Welches Spiel gewinnt den ersten Preis?

Für viele Menschen ist Spielen eine schöne Freizeit-
beschäftigung. Der Verein „Spiel des Jahres" wählt jedes Jahr
besonders gute Spiele aus. Es gibt Preise für den schönsten
Spielplan, für das lustigste Spiel, für das
spannendste Spiel, für die originellste
Spielidee und für das beste Spiel für Kinder.

 10b

Was sagt die Jury? Markieren Sie die Begründungen.

1 Dieses Spiel hat einen tollen Spielplan. Die witzigen Zeichnungen und wunderschönen grafischen Elemente verdienen den ersten Preis. Wenn man den tollen Spielplan sieht, dann muss man das neue Spiel einfach haben.

2 Jetzt gibt es die ideale Spielidee für Kinder zwischen 2 und 4 Jahren: Bei diesem Spiel können sie alles anfassen, sie hören lustige Geräusche und können selbst aktiv sein. Für kleine Kinder absolut empfehlenswert!

3 Einen guten Krimi kann man lesen, aber nicht spielen? Dieses Spiel beweist das Gegenteil: Man spielt selbst den bösen Täter oder das arme Opfer. Echt spannend! Das Spiel für alle großen und kleinen Krimifans.

4 Hier darf man lachen! Endlich kann man die un-möglichsten, verrücktes-ten und lustigsten Fragen stellen. Denn in diesem Kartenspiel ist (fast) alles erlaubt ... und es garan-tiert einen amüsanten, lustigen Abend.

„*WER GEWINNT DEN ERSTEN PREIS?*"

 10c

Welches Spiel bekommt welchen Preis? Ordnen Sie zu.

Spiel 1 bekommt den Preis ...   für den schönsten Spielplan.
Spiel 2 ...   für das beste Spiel für Kinder.
   für die meiste Spannung.
   für die witzigsten Spielkarten.

 10d

Notieren Sie die wichtigsten Spielelemente.

Spiel 1 hat den tollen Spielplan, die witzigen Zeichnungen,

_____ .

Spiel 2 hat die ideale _____

_____

In Spiel 3 spielt man _____

_____

In Spiel 4 _____

_____

 10e

Was sind Ihre Lieblingsspiele? Tauschen Sie sich aus. Wählen Sie die drei besten Spiele und stellen Sie sie im Kurs vor.

für den größten Spaß | für das schöne Design | für die einfache Erklärung | für die witzigen Ideen | für die meiste Spannung | ...

1 Der erste Preis geht an ... für den / das / die ...

2 Der zweite Preis geht an ... für ...

3 Der dritte Preis geht an ... für ...

Seite 136 ÜB

Wir spielen ein Spiel

11a

Wenn ... dann. Lesen Sie das Gedicht. Zu welchen Zeilen gibt es ein Bild? Ordnen Sie zu.

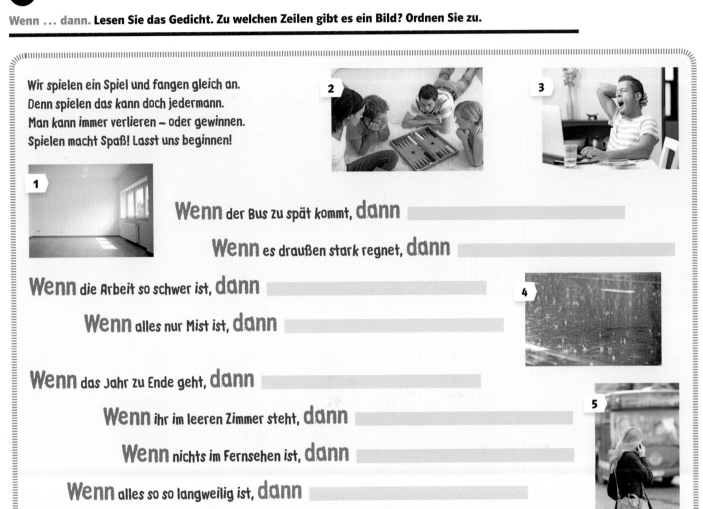

Wir spielen ein Spiel und fangen gleich an.
Denn spielen das kann doch jedermann.
Man kann immer verlieren – oder gewinnen.
Spielen macht Spaß! Lasst uns beginnen!

Wenn der Bus zu spät kommt, dann
Wenn es draußen stark regnet, dann
Wenn die Arbeit so schwer ist, dann
Wenn alles nur Mist ist, dann

Wenn das Jahr zu Ende geht, dann
Wenn ihr im leeren Zimmer steht, dann
Wenn nichts im Fernsehen ist, dann
Wenn alles so so langweilig ist, dann

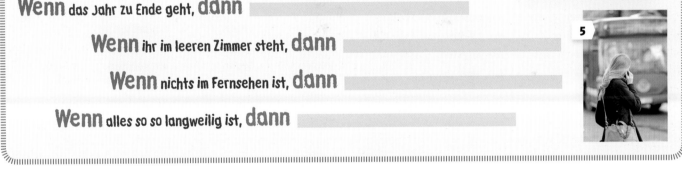

11b

Schreiben Sie eine Strophe.
Ergänzen Sie die wenn-Sätze mit dann ...

ein paar Leute fragen | nicht an morgen denken | ein Eis essen |
ins Kino gehen | einen Spaziergang machen | Frust und Sorgen
vergessen | gleich heute spielen | ...

11c

Lesen Sie Ihre Strophe vor. Welche gefällt Ihnen am besten?
Vergleichen Sie.

Ich finde eure Strophe am besten.
Sie klingt am schönsten / am lustigsten / am ...
Ich finde eure Strophe lustiger als unsere.
Ich finde eure genauso lustig wie unsere.

11d *Track 43*

Hören Sie jetzt den Text. Welche dann-Sätze hören Sie?
Markieren Sie die Tätigkeiten in 11b.

11e

Schreiben Sie die Gedichtzeilen und vergleichen Sie.
Hören Sie noch einmal und sprechen Sie mit.

Seite 137 ÜB

Sportler und Sportlerinnen

der Trainer – die Trainerin
der Tänzer – die Tänzerin
der Fußballer – die Fußballerin
der Spieler – die Spielerin
der Boxer – die Boxerin
der Läufer – die Läuferin

Spielen – Du bist dran!

das Spiel, der Spielplan, das Spielfeld, der Würfel, die Spielfiguren
die Karten mischen, eine Karte ziehen, ein Feld vor- oder zurückgehen,
das Spiel gewinnen oder verlieren

Komparativ und Superlativ

klein	kleiner	am kleinsten
schön	schöner	am schönsten
schnell	schneller	am schnellsten
bekannt	bekannter	am bekanntesten
dunkel	dunkler	am dunkelsten
teuer	teurer	am teuersten

-el, -er

Jonas ist schnell,
Joachim ist schneller,
Jan ist noch schneller.
Er ist am schnellsten.

Besonderheiten

alt	älter	am ältesten
groß	größer	am größten
jung	jünger	am jüngsten
hoch	höher	am höchsten

Besondere Adjektive

gut	besser	am besten
viel	mehr	am meisten
gern	lieber	am liebsten

Vergleich mit als und wie

Lars ist größer als Louis.
Luisa ist (genau)so groß wie Kai.

Adjektivdeklination Definitartikel *Clip 29*

Nominativ	Akkusativ
der schnelle Spieler	den schnellen Spieler
das große Mädchen	das große Mädchen
die tolle Mannschaft	die tolle Mannschaft
die netten Kinder	die netten Kinder

Adjektivdeklination Definitartikel Superlativ

Nominativ	Akkusativ
der schönste Spielplan	den schönsten Spielplan
das beste Spiel	das beste Spiel
die lustigste Spielfigur	die lustigste Spielfigur
die tollsten Ideen	die tollsten Ideen

Modalverb sollen

ich soll
du sollst
er / sie / es soll

wir sollen
ihr sollt
sie sollen

Sie sollen

> Der Trainer sagt:
> Wir sollen fair spielen
> und Tore schießen!

Wenn-dann-Sätze *Clip 30*

Wenn es regnet, dann spielen wir ein Spiel.
Wenn wir ein Spiel spielen, dann freuen wir uns.
Wenn wir uns freuen, dann haben wir eine gute Zeit.

Sch-Laute *Track 44*

sch	**sch**ön
sp	**sp**ortlich
st	**st**ark

> st und sp werden nur am Anfang
> von Wörtern und Silben wie scht und
> schp gesprochen, sonst als st und sp
> (Osten, ist, ...)

Alles im Rhythmus *Track 45*

He Leute, das ist unser größtes Projekt.
Wenn uns das gelingt, dann ist alles perfekt.
Wenn das funktioniert, dann ist alles korrekt.
Wenn wir am Ziel sind, dann sind wir perfekt.

He Leute, hört zu, ihr sollt es probieren.
Ihr sollt immer sprechen und immer trainieren.
He du, sprich doch laut. Du kannst nichts verlieren.
Und du da, mach mit. Was soll schon passieren?

He hallo, das ist doch ein lustiges Spiel.
Sprecht einfach gemeinsam. Ihr seid bald am Ziel.
He wir spielen ohne Stress das fröhliche Spiel.
Wenn wir so weitermachen, sind wir echt bald am Ziel.

1a

D-A-CH zum Hören und Sehen. **Sehen Sie die Fotos an.**

Was kennen Sie?

Nordse

1b *Track 46*

Hören Sie Geräusche aus D-A-CH. Was passt zu welchem Foto?
Notieren Sie.

Geräusch	Foto	Text	Ort	Schlüsselwort
1	2	A	in den Alpen	Kuhglocken
2				
3				
4				
5				
6				
7				
8				

Dortm

Nürburgring bei
Adenau / Eifel

1c

Lesen Sie. Welches Foto passt zu welchem Text?
Schreiben Sie die Buchstaben und Orte in die Tabelle.

A Überall auf den Bergen hört man in den Alpen Kuhglocken. Die Kühe tragen die Glocken, weil die Bauern so ihre Tiere auf der Wiese hören und finden können.

B Im Westen von Deutschland in Rheinland-Pfalz liegt die längste Grand-Prix Rennstrecke der Welt: der Nürburgring. Auf ca. 26 km kann man beim Rennen Autos, Motorräder und andere Motoren hören.

C Mit 23 Metern Höhe und 150 Metern Breite ist der Rheinfall von Schaffhausen (in der Nähe vom Bodensee) der größte Wasserfall in Europa. Man hört und fühlt das Wasser, denn man kommt dem Wasserfall sehr nah.

D Das größte Volksfest ist das Oktoberfest in München. Es ist berühmt für Bier und Bierzelte. Man hört aber auch Musik – wie die traditionelle Blasmusik – und viele fröhliche Menschen in Karussells.

E Das größte Fußballstadion in Deutschland ist in Nordrhein-Westfalen in Dortmund. Dort kann man den Fußballverein Borussia Dortmund und seine Fans sehen und hören. Das Stadion heißt Signal Iduna Park. 80.667 Menschen können dort Fußballspiele anschauen.

F Im Jahre 1964 und 1976 war Innsbruck in Österreich Olympiastadt – zweimal waren die Olympischen Winterspiele dort. Und 2012 war das Olympische Feuer zum dritten Mal in Innsbruck für die Jugendolympiade (YOG = Young Olympia Games).

G Leipzig ist die Musikstadt. Johann Sebastian Bach, Felix Mendelssohn Bartholdy und andere Komponisten haben hier gelebt. Richard Wagner ist hier geboren. Musik kann man auch im Grassimuseum erleben. Dort findet man eine der weltgrößten Sammlungen von alten Musikinstrumenten. Im Klanglabor können die Besucher Instrumente ausprobieren.

1d

Hören Sie noch einmal. Markieren Sie die passenden
Schlüsselwörter im Text und schreiben Sie sie in die Tabelle.

Ostsee

Leipzig

München

Alpen

Schaffhausen

Innsbruck

H Das Meer sieht und hört man nur im Norden von Deutschland: an der Nordsee und der Ostsee. Das Wetter dort ist nicht immer warm und sonnig. Vor allem im Herbst und im Winter ist es oft sehr windig oder stürmisch. Die Wellen sind dann hoch und laut.

2a

Suchen Sie die Orte / Regionen auf der Landkarte. Schreiben Sie die passenden Wörter dazu oder malen Sie ein Bild.

2b

Was hört man noch in D-A-CH? Ergänzen Sie die Landkarte. Präsentieren Sie Ihre Hör-Beispiele.

Lernende malen Bildchen und kleben sie auf die Landkarte.

3a

Machen Sie eine Landkarte zum Hören für Ihr Land.

3b

Präsentieren Sie Ihre Landkarte.

**Reisen Sie durch Deutschland und
lernen Sie Menschen kennen.**

Musik *Film 11*

**a. Das ist Yoko. Sie ist Musikerin. Was für Musik macht sie?
Raten Sie und sehen Sie dann den Film.**

Hip-Hop | Rock | Pop | Jazz | Klassik | Elektro | ...

**b. Sehen Sie den Film noch einmal. Was sagt Yoko?
Kreuzen Sie an.**

Yoko sagt: Mein Name ist japanisch,

☐ weil ich in Japan geboren bin.
☐ weil mein Vater Japaner ist.
☐ weil meine Mutter aus Japan kommt.

Yoko wohnt in:
☐ Berlin ☐ Tokio ☐ Hamburg

**c. Im Film singt Yoko das Lied „Louie". Was singt sie?
Kreuzen Sie an.**

☐ gestern Frankfurt heute Berlin ...   ☐ gestern Hamburg heute Berlin ...
☐ zwei Tage hier ...   ☐ drei Tage hier ...
☐ der Weg ist das Ziel ...   ☐ der Tee ist zu viel ...
☐ du gefällst mir...   ☐ du fehlst mir

Dinge und Schreibtische *Film 12*

**a. Das sind Aytekin und Vera. Wie sehen ihre Arbeitsplätze aus? Lesen Sie zuerst
die Sätze und sehen Sie dann den Film. Zu wem passt welcher Satz? Kreuzen Sie an.**
Tipp: Halten Sie den Film zwischendurch ein paarmal an.

	Aytekin	Vera
1. An der Wand hinter dem Schreibtisch steht ein Regal.	☐	☐
2. Auf dem Schreibtisch steht ein Laptop.	☐	☐
3. Das Fenster ist rechts vom Schreibtisch.	☐	☐
4. Hinter dem Laptop stehen Bücher auf dem Schreibtisch.	☐	☐
5. Im Regal rechts ist eine Maske.	☐	☐
6. Eine lustige Figur sitzt auf einem Buch.	☐	☐

b. Wer sagt was? Sehen Sie den Film noch einmal und ergänzen Sie.

Aytekin: Ich beschäftige mich sehr gern mit ▬▬▬▬▬.
Vera: Ich muss ziemlich viel ▬▬▬▬▬. Aber das gehört wohl dazu.

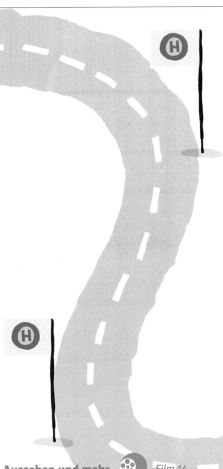

Einkaufen und verkaufen *Film 13*

a. Das ist Emma Heinz im Computergeschäft. Lesen Sie zuerst die Sätze. Sehen Sie dann den Film. Welche Sätze hören Sie? Kreuzen Sie an.

- Hallo, guten Tag!
- Was hätten Sie gern?
- Wie kann ich Ihnen helfen?
- Darf es ... sein?
- Ja bitte!
- Was kostet der?
- Der Preis ist zu hoch.
- Dann zeige ich Ihnen doch gerade ein Modell.

b. Claudia ist Optikerin. Sehen Sie den Einkaufsdialog. Beantworten Sie die Fragen.

Sie ist schön / nicht schön | die Farbe gefällt mir / der Kundin | sie ist groß / nicht zu groß

Welche Brille findet die Kundin besser: die erste, die zweite oder die dritte Brille? Warum?
Die Kundin findet die   Brille besser, weil
Welche Brille finden Sie besser: die erste, die zweite oder die dritte Brille? Warum?
Ich finde die   Brille besser, weil

Aussehen und mehr *Film 14*

a. Sehen Sie Clemens. Was stimmt? Wie finden Sie ihn? Markieren Sie.

Clemens wohnt in: Frankfurt | Hamburg | Würzburg.
Er ist 21 | 22 | 23 Jahre alt.
Er hat blonde | braune | schwarze | lange | kurze Haare.
Er hat braune | blaue | grüne | graue Augen.
Er interessiert sich für: Kultur | Sport | Reisen.
Er war: in Australien | in China | in den USA.
Er hat eine angenehme | unangenehme Stimme.
Er ist sportlich | schlank | dick | muskulös | groß | klein | nett | hübsch | hässlich | attraktiv | fröhlich | freundlich.

Sport   *Film 15*

a. Sehen Sie Coco aus Schondorf. Was stimmt? Kreuzen Sie an.

- Sein Hobby ist Klettern und Bergsteigen.
- Er spielt Tennis.
- Er balanciert auf der Slackline.
- Er ist im Deutschen Alpenverein.
- Er bringt den Leuten das Klettern und das Bergsteigen bei.
- Klettern üben die Leute zuerst in den Alpen und dann in der Kletterhalle.
- Sein Beruf ist Bergführer.

b. Schreiben Sie eine Kontaktanzeige für Clemens.

Alter, Wohnort
Aussehen
Hobbys
Berufswunsch
...

b. Lesen Sie die Sätze. Sehen Sie den Film noch einmal und nummerieren Sie die Sätze in der Reihenfolge.

- So, du schaust jetzt, ob das stimmt bei mir. Sonja, schau!
- Geh, nimm ruhig auch so 'n bisschen Struktur hier.
- Mach kleine Schritte, kleine Schritte. Und innen hoch. Genau. Super.
- Schnallen sind fest?
- Ich nehm' dich in Sicherung.
- Ja, dann kann' s losgehen.

Film 11

Yoko: Hallo, mein Name ist Yoko. Ich bin Baujahr 1984. Mein Name ist japanisch, weil meine Mutter aus Japan kommt, und mein Vater ist Deutscher. Ich wohne hier in Berlin-Kreuzberg, und ich bin Sängerin und die Band heißt genau wie ich: Yoko. Ich spiel euch jetzt ein Lied vor, was ich gelernt hab', als ich zehn Jahre alt war. Das ist bescheuert.
Gestern Hamburg, heute Berlin, Louie. Zwei Tage hier, der Weg ist das Ziel, Louie, du fehlst mir.

Film 12

Aytekin: Grüß Gott, mein Name ist Aytekin Celik. Ich bin 41 Jahre alt und wohne in Stuttgart-Wangen. Ich komme aus der Türkei ursprünglich, ich bin als Kleinkind mit drei Jahren mit meinen Eltern hier hergekommen und bin jetzt eben in Stuttgart. Ich bin deutscher Staatsbürger und viele fragen mich immer, ob ich mich mehr deutsch oder mehr türkisch fühle, aber diese Frage stellt sich mir gar nicht. Ich bin Stuttgarter und das reicht schon. Ich beschäftige mich sehr gern mit Computern, vor allem mit dem Internet. Also alles was im Internet an Möglichkeiten gibt, also vor allem, wie das Internet die Gesellschaft verändert, das ist so mein Hauptthema.

Vera: Hallo, ich bin Vera. Ich bin 23 und wohne in Köln, im Belgischen Viertel. Aber nicht mehr lange.
Moderatorin: Was studieren Sie eigentlich?
Vera: Ich studiere Gesundheitsökonomie.
Moderatorin: Was ist denn das?
Vera: Das ist eine Mischung aus Medizin, Sozialpolitik und Wirtschaftswissenschaften. Und ich möchte damit später in der Gesundheitspolitik arbeiten.
Moderatorin: Das hört sich nach viel Arbeit an?
Vera: Man muss ziemlich viel lernen, aber das gehört wohl dazu, vor allem vor den Klausuren.

Film 13

Verkäuferin: Hallo.
Emma: Hallo, guten Tag.
Verkäuferin: Wie kann ich Ihnen helfen?
Emma: Ich möchte heute einen Computer kaufen.
Verkäuferin: Einen Computer zum Schreiben, Spielen oder Ins-Internet-Gehen?
Emma: Zum Schreiben.
Verkäuferin: Darf es denn auch ein Laptop sein? Da sind Sie immer mobil.
Emma: Gut, Laptop ist gut.
Verkäuferin: Super. Dann zeige ich Ihnen doch gerade ein Modell.
Emma: Ja, bitte. Und sieht gut aus.
Verkäuferin: Ja. Der ist vom Preis sehr günstig, liegt bei 499 Euro.
Emma: Ja, der Preis ist gut, ja.
Verkäuferin: Den haben wir sofort da. Zum Mitnehmen?
Emma: Mhm.

Claudia: Was soll es denn diesmal werden? Etwas Auffälligeres vielleicht?
Kundin: Ja. Etwas Auffälligeres ist gut.
Claudia: Ja? Gut.
Wie ist es denn mit Rot?
Kundin: Na Rot ist eigentlich nicht so meine Farbe.
Claudia: Hier probier mal. Manchmal wirkt das ganz anders, als man denkt.
Vielleicht etwas zu groß.
Kundin: Ja, ist ein bisschen doll.
Claudia: Ja.
Kundin: Das stimmt.
Claudia: Dann probieren wir doch etwas anderes.
Bitte schön.
Kundin: Die ist so glänzend, ne.
Die glänzt so ein bisschen.
Ja, das ist nicht schön.
Claudia: Also doch lieber etwas dezenter?
Kundin: Ja, etwas.
Claudia: Ja, wie sieht's denn damit aus?
Kundin: Die ist schön. Die ist echt schön, ja. Und schwarz ist sowieso immer gut.
Claudia: Das passt zu allem. Das ist neutral.
Kundin: Sehr schön.
Claudia: Finde ich auch. Und die sitzt auch ganz gut auf der Nase.
Kundin: Die fühlt sich auch richtig gut an.

Film 14

Clemens: Hallo, mein Name ist Clemens Ansorg und ich wohne hier in Hamburg in der Talstraße. Das ist auf Sankt Pauli und das ist ein Vergnügungsviertel hier in Hamburg.

Moderatorin: Wohnen Sie hier alleine?

Clemens: Nein, ich wohne in einer Wohngemeinschaft mit noch zwei anderen.

Moderatorin: Wie alt sind Sie?

Clemens: Ich bin 22.

Moderatorin: Und wo kommen Sie eigentlich her?

Clemens: Ursprünglich komme ich aus dem Westerwald. Äh, das ist ungefähr 500 Kilometer südlich von hier.

Moderatorin: Und wie sind Sie dann nach Hamburg gekommen?

Clemens: Nach Hamburg bin ich gekommen, nachdem ich meine Schule abgebrochen habe. Und dann habe ich ein freiwilliges soziales Jahr gemacht, direkt hier in Hamburg. Und danach war ich reisen.

Moderatorin: Und wohin?

Clemens: Ähm, zuerst bin ich für ein Jahr nach Australien gegangen. In Australien habe ich gearbeitet, auf verschiedenen Inseln. Auch als Kellner und als public area cleaner, also als Kloputzer könnte man sagen. Weil Thailand direkt auf dem Rückflug war, habe ich da noch vorbeigeschaut, und dann war ich für einen Monat noch in Thailand.

Moderatorin: Haben Sie da auch gearbeitet?

Clemens: Nein, gar nicht. Da habe ich dann nur Urlaub gemacht. Und zum Schluss war ich noch in einem Sportcamp. Und dann bin ich in die USA gereist.

Moderatorin: Was machen Sie so in Ihrer Freizeit?

Clemens: Ich gehe gerne an die Elbe. Ähm, ich schreibe gerne, ich lese gerne.

Moderatorin: Und wie geht's jetzt weiter?

Clemens: Jetzt werde ich ab ersten März hier in Hamburg-Altona an der Schauspielschule anfangen.

Moderatorin: Haben Sie heute noch Termine?

Clemens: Ja. Weil ich mein Studium zum Teil selber bezahlen muss, gehe ich heute bei einer Tagesstätte aushelfen.

Film 15

Coco: Mein Hobby ist Klettern und Bergsteigen und da ist die Slackline eine ganz, ganz tolle Übung, um Gleichgewicht zu halten und die Balance zu lernen.

Ich bin im Deutschen Alpenverein. Da hab' ich eine Ausbildung als Fachübungsleiter für Bergsteigen und Hochtouren gemacht. Das heißt, ich bin ehrenamtlich tätig und bringe Leuten das Klettern bei und auch Bergsteigen im Allgemeinen. Dafür üben wir erst in der Kletterhalle und erst später in den Alpen.

Der Achterknoten ist gemacht. Gut und schön festgezogen. Ich nehm' dich in die Sicherung.

So, du schaust jetzt, ob das stimmt bei mir. Sonja, schau!

Sonja: Mhm. Der Karabiner ist zu. Ich hänge am oberen Seil. Das Sicherungsseil ist unten.

Coco: Bei dir auch alles fest? Schnallen sind fest?

Sonja: Gurt!

Coco: Gut. Wunderbar. Ja, dann kann's losgehen.

Sonja: Gut.

Coco: Dann, viel Spaß!

Sonja: Danke!

Coco: Geh, nimm ruhig auch so 'n bisschen Struktur hier. Mach kleine Schritte, kleine Schritte. Und innen hoch. Genau. Super.

(…)

Klasse, sehr gut. Und rechts hast du für den Fuß da – genau …

Grammatik-Clips *Clip*

Clip 21: Nebensatz mit *weil*

Clip 22: Perfekt III (trennbare und nicht trennbare Verben)

Clip 23: Komparativ

Clip 24: Präpositionen mit Dativ und Akkusativ

Clip 25: Dieser und welcher

Clip 26: Imperativ (trennbare und nicht trennbare Verben)

Clip 27: Personalpronomen im Dativ

Clip 28: Adjektivdeklination I (Indefinitartikel Akkusativ)

Clip 29: Adjektivdeklination II (Definit- und Indefinitartikel Nominativ)

Clip 30: Nebensatz mit *wenn*

Grammatik im Überblick

Wörter

1 Nomen und Artikel
2 Personalpronomen
3 Demonstrativpronomen
4 Fragepronomen
5 Präpositionen
6 Adjektive
7 Lokaladverbien
8 Regelmäßige Verben im Präsens
9 sein, haben, mögen
10 Verben mit Vokalwechsel
11 Trennbare Verben
12 Nicht trennbare Verben
13 Modalverben
14 Reflexive Verben
15 Der Imperativ
16 Das Perfekt
17 Der Konjunktiv II (hätte)

Wortbildung

18 Komposita
19 Nominalisierungen
20 Adjektive verneinen

Sätze

21 Aussagesatz
22 Fragesätze
23 Nebensätze

Textgrammatik

24 Sätze verbinden:
   deshalb, weil, dass, wenn

Wörter

 1 Nomen und Artikel

	Singular			Plural
Nominativ	der / ein / kein / mein / dieser Mann	das / ein / kein / mein / dieses Kind	die / eine / keine / meine / diese Frau	die / --- / keine / meine / diese Freunde
Akkusativ	den / einen / keinen / meinen / diesen Mann	das / ein / kein / mein / dieses Kind	die / eine / keine / meine / diese Frau	die / --- / keine / meine / diese Freunde
Dativ	dem / einem / keinem / meinem / diesem Mann	dem / einem / keinem / meinem / diesem Kind	der / einer / keiner / meiner / dieser Frau	den / --- / keinen / meine / diesen Freunden

Verben mit Dativ: helfen, gefallen, passen
Verben mit Dativ und Akkusativ: geben, schenken, zeigen, empfehlen

Tipp:

Lernen Sie Verben + Nomen im Dativ.
Merken Sie sich: Dativ: -em / -em / -er // -en.

 2 Personalpronomen

	Nominativ	Akkusativ	Dativ
Singular	ich	mich	mir
	du	dich	dir
	er	ihn	ihm
	sie	sie	ihr
	es	es	ihm
Plural	wir	uns	uns
	ihr	euch	euch
	sie	sie	ihnen
	Sie	Sie	Ihnen

Wie geht es deinem Mann und deinen Kindern?

Es geht ihnen gut.

Wie geht es Ihnen?

Es geht mir gut.

3 Demonstrativpronomen

	Singular			Plural
Nominativ	der Mann – dieser	das Kind – dieses	die Frau – diese	die Menschen – diese
Akkusativ	den Mann – diesen	das Kind – dieses	die Frau – diese	die Menschen – diese

Welcher Ring gefällt dir?

Dieser. Und welchen nimmst du?

Diesen.

Fragepronomen

	Nominativ	**Akkusativ**
M	welcher / was für ein Mann	welchen / was für einen Mann
N	welches / was für ein Kind	welches / was für ein Kind
F	welche / was für eine Frau	welche / was für eine Frau
Pl	welche / was für --- Menschen	welche / was für --- Menschen

 Präpositionen

Wechselpräpositionen mit Dativ und Akkusativ

	Es ist, liegt, steht, hängt, … **Wo? (Dativ)**	Ich lege, stelle, hänge, … es … **Wohin? (Akkusativ)**
der:	am / an einem Tisch	an den / an einen Tisch
	auf dem / auf einem Berg	auf den / auf einen Berg
	im Garten / in einem Garten	in den / in einen Garten
das:	neben dem / einem Foto	neben das / ein Foto
	hinter dem / einem Regal	hinter das / ein Regal
	über dem / einem Sofa	über das / ein Sofa
die:	unter der / einer Tasse	unter die / eine Tasse
	vor der / einer Tür	vor die / eine Tür
die (Pl.):	zwischen (den) Pflanzen und (den) Büchern	zwischen (die) Pflanzen und (die) Bücher

im = in dem   am = an dem   ins = in das   aufs = auf das

Temporale Präpositionen: im, am, um, von … bis

im:	Frühling, Sommer, Herbst, Winter / Januar, Februar, März, …
am:	Ich komme am Montag. Am ersten, zweiten, dritten, vierten, … Januar.
um:	Ich komme um 12:00 Uhr.
von … bis:	Ich arbeite von 8:00 Uhr bis 16:00 Uhr.

Temporale Präpositionen: ab, nach, seit, vor, zwischen

Ab wann?	ab + Dativ	Ich bin ab 8 Uhr am Schreibtisch.
Seit wann?	seit + Dativ	Ich bin seit 5 Uhr / seit 1995 / seit 5 Jahren hier. (Start in der Vergangenheit und jetzt noch aktuell)
Wann?	zwischen + Dativ	Ich komme zwischen 9 und 10 Uhr. (Start und Ende)
Wann?	vor + Dativ	Vor 12 Uhr kommen keine Leute. (ungenaue Zeitangabe)
Wann?	nach + Dativ	Ich mache nach 10 Uhr eine Pause. (ungenaue Zeitangabe)

Adjektive

Komparation

	Komparativ	**Superlativ**
bequem	bequemer	am bequemsten
praktisch	praktischer	am praktischsten
groß	größer	am größten
bekannt	bekannter	am bekanntesten
gut	besser	am besten
viel	mehr	am meisten
gern	lieber	am liebsten

Peter ist größer als Jan.   Jan ist fast genauso groß wie Lisa.

Adjektivdeklination mit Definitartikel

	Singular			**Plural**
Nominativ	der nette Junge	das nette Mädchen	die nette Frau	die netten Kinder
Akkusativ	den netten Jungen	das nette Mädchen	die nette Frau	die netten Kinder

Tipp:

Merken Sie sich:
Nom.: -e / -e / -e // -en
Akk: -en / -e / -e // -en

Adjektivdeklination mit Definitartikel im Superlativ

	Singular			**Plural**
Nominativ	der netteste Junge	das netteste Mädchen	die netteste Frau	die nettesten Kinder
Akkusativ	den nettesten Jungen	das netteste Mädchen	die netteste Frau	die nettesten Kinder

Achtung: Endung -esten bei Adjektiven mit -d, -t, -s, -ß, -sch, -x, -z

Tipp:

Merken Sie sich:
Nom.: -ste / -ste / -ste // -sten
Akk: -sten / -ste / -ste // -sten

Adjektivdeklination mit Indefinitartikel

	Singular			**Plural**
Nominativ	ein bunter Pullover	ein schnelles Fahrrad	eine rote Rose	--- lange Haare
Akkusativ	einen bunten Pullover	ein schnelles Fahrrad	eine rote Rose	--- nette Kinder

Tipp:

Merken Sie sich:
Nom: -er / -es / -e // -e
Akk: -en / -es / -e // -e

 Lokaladverbien

Von hier oben sieht die Stadt toll aus und ich denke, sie ist auch unten schön
Da vorne sieht man einen Fluss. Da hinten ist ein Park und in der Mitte ist das Schloss.
Rechts und links sind Bäume.

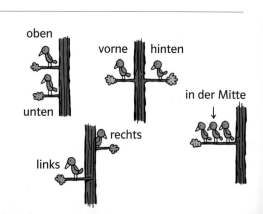

8   Regelmäßige Verben im Präsens

Infinitiv	kommen	heißen	arbeiten
Singular	ich komme	ich heiße	ich arbeite
	du kommst	du heißt	du arbeitest
	er / sie / es kommt	er / sie / es heißt	er / sie / es arbeitet
Plural	wir kommen	wir heißen	wir arbeiten
	ihr kommt	ihr heißt	ihr arbeitet
	sie kommen	sie heißen	sie arbeiten
	Sie kommen	Sie heißen	Sie arbeiten

9   sein, haben, mögen

Infinitiv	sein	haben	mögen
Singular	ich bin	ich habe	ich mag
	du bist	du hast	du magst
	er / sie / es ist	er / sie / es hat	er / sie / es mag
Plural	wir sind	wir haben	wir mögen
	ihr seid	ihr habt	ihr mögt
	sie sind	sie haben	sie mögen
	Sie sind	Sie haben	Sie mögen

10   Verben mit Vokalwechsel

e → i / ie   ich esse – du isst – er / sie / es isst
ebenso: nehmen, sehen, geben, helfen, lesen, sprechen, auftreten, annehmen, empfehlen

a → ä   schlafen – du schläfst – er / sie / es schläft
ebenso: anfangen, gefallen, fahren, hochladen, halten

Tipp:

Lernen Sie immer die 2. und 3. Person Singular mit.

11   Trennbare Verben

anfangen	Ich fange an.	ebenso:	fernsehen – Ich sehe fern.
abschließen	Ich schließe ab.		stattfinden – Der Ball findet in Wien statt.
aufstehen	Ich stehe auf.		hochladen – Ich lade die Fotos hoch.
einsteigen	Ich steige ein.		
losfahren	Ich fahre los.		
mitkommen	Ich komme mit.		
umziehen	Ich ziehe um.		
weitermachen	Ich mache weiter.		

12   Nicht trennbare Verben

bezahlen	Ich bezahle den Wein.
empfehlen	Ich empfehle dir das Buch.
entstehen	So entsteht ein Haus.
erklären	Ich erkläre die Grammatik.
vergleichen	Wir vergleichen die Sätze.

13   Die Modalverben

Infinitiv	wollen	müssen	können	möchten	dürfen	sollen
Singular	ich will	ich muss	ich kann	ich möchte	ich darf	ich soll
	du willst	du musst	du kannst	du möchtest	du darfst	du sollst
	er/sie/es will	er/sie/es muss	er/sie/es kann	er/sie/es möchte	er/sie/es darf	er/sie/es soll
Plural	wir wollen	wir müssen	wir können	wir möchten	wir dürfen	wir sollen
	ihr wollt	ihr müsst	ihr könnt	ihr möchtet	ihr dürft	ihr sollt
	sie wollen	sie müssen	sie können	sie möchten	sie dürfen	sie sollen
	Sie wollen	Sie müssen	Sie können	Sie möchten	Sie dürfen	Sie sollen

Tipp:

Lernen Sie auch die 1. Person Singular!
(wollen – ich will) Die 1. und 3. Person ist
immer gleich.

Ich muss zahlen.

Ich kann zahlen.

Ich zahle heute!

Ich will zahlen.

Zahlen bitte!

Ich möchte zahlen.

Darf ich zahlen?

Ich darf zahlen.

Darf ich bitte
kassieren?
Meine Arbeits-
zeit ist gleich
zu Ende.

Was hat er gesagt?

Wir sollen zahlen.

Ich soll zahlen.

14   Reflexive Verben

ich freue mich	wir beeilen uns
du bedankst dich	ihr benehmt euch
er/sie/es schämt sich	sie ärgern sich
	Wie fühlen Sie sich?

Der Imperativ

	Du-Form	Ihr-Form	Sie-Form
kommen:	Komm!	Kommt!	Kommen Sie!
essen:	Iss!	Esst!	Essen Sie!

Besondere Formen:

	Du-Form	Ihr-Form	Sie-Form
haben:	Hab!	Habt!	Haben Sie Geduld!
sein:	Sei!	Seid!	Seien Sie still!

nicht trennbare Verben

	Du-Form	Ihr-Form	Sie-Form
verdienen:	Verdien(e) Geld!	Verdient Geld!	Verdienen Sie Geld!
überweisen:	Überweis(e) Geld	Überweist Geld!	Überweisen Sie Geld!

trennbare Verben

	Du-Form	Ihr-Form	Sie-Form
eingeben:	Gib ein Passwort ein!	Gebt ein Passwort ein!	Geben Sie ein Passwort ein!
hochladen:	Lad(e) die Fotos hoch!	Ladet die Fotos hoch!	Laden Sie die Fotos hoch!

 Das Perfekt

sein + Partizip II: gehen, fahren, kommen, schwimmen, klettern, reisen, sein (ich bin gewesen), aufstehen, einschlafen
haben + Partizip II: die meisten Verben (ich habe getanzt)

Das Partizip II

ge____t/et	____t	____t	____ge____t
ich habe gewohnt	ich habe telefoniert	ich habe verdient	ich habe sie abgeholt
ich habe geliebt	ich habe trainiert	ich habe erzählt	ich habe eingekauft
ich habe gearbeitet		ich habe bezahlt	ich habe einen Termin ausgemacht
		auch: bestellt, erlebt, …	auch: ausgetauscht, angemacht, …

ge____en	____en	____ge____en
ich bin gekommen	ich habe vergessen	ich habe angefangen
ich bin gegangen	ich habe erfahren	ich bin aufgestanden
ich habe gelesen	ich habe begonnen	ich bin mitgekommen
		ich bin umgezogen
		auch: angekommen, eingeladen, weggeworfen, …

a	fahren – gefahren	(ebenso: gefangen, gegangen, gehalten, geschlafen, gestanden, verstanden)
e	essen – gegessen	(ebenso: gesessen)
	sehen – gesehen	(ebenso: gelesen, gelegen, getreten, gewesen)
i	schreiben – geschrieben	(ebenso: geblieben, geschrien)
o	beginnen – begonnen	(ebenso: geflogen, genossen, gewonnen, gekommen, genommen, geschwommen, gesprochen; empfohlen, umgezogen, angenommen, abgeschlossen)
u	trinken – getrunken	(ebenso: gesungen, gefunden, gerufen)

Tipp:
en-Verben sind unregelmäßig. Lernen Sie sie auswendig!

denken – gedacht   wissen – gewusst   kennen – gekannt

17 **Der Konjunktiv II (hätte)**

Ich hätte gern einen Topf.
Du hättest gern ein Smartphone.
Er / Sie hätte gern ein Handy.

Wir hätten gern eine Spülmaschine.
Ihr hättet gern eine Kamera.
Sie hätten gern mehr Zeit.
Was hätten Sie gern?

Welchen Fernseher hätten Sie denn gern?

Ich hätte gern den da.

Wortbildung

18 **Komposita**

Nomen + Nomen
der Schinken + das Brot = das Schinkenbrot

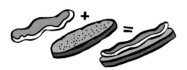

Verb + Nomen
schlafen + das Zimmer = das Schlafzimmer

Adjektiv + Nomen
privat + das Leben = das Privatleben
groß + die Stadt = die Großstadt
hoch + das Haus = das Hochhaus
sozial + der Arbeiter = der Sozialarbeiter

19 **Nominalisierungen**

das + Verb
das Tanzen, das Küssen, das Lesen
beim Tanzen, beim Küssen, beim Lesen

Verb + -ung
planen – die Planung
meinen – die Meinung
ausbilden – die Ausbildung

20 **Adjektive verneinen**

zufrieden – unzufrieden
ordentlich – unordentlich
praktisch – unpraktisch
angenehm – unangenehm

Sätze

21   Aussagesatz

	1	2	3, 4, 5, …		Verb Teil 2
	Ich	esse	morgens	ein Käsebrot.	
	Morgens	esse	ich	ein Käsebrot.	
	Ich	stehe	am Sonntag	um 8 Uhr	auf.
	Am Sonntag	stehe	ich	um 8 Uhr	auf.
	Ich	bin	am Sonntag	ins Kino	gegangen.
	Er	schenkt	dem Kind	einen Schal.	
	Er	hat	dem Kind	einen Schal	geschenkt.

22   Fragesätze

	1	2	3, 4, 5, …	Verb Teil 2
	Was für ein Instrument	spielst	du?	
	Was für einen Sänger	magst	du?	
	Welcher Topf	gefällt	dir?	
	Welchen Topf	kaufen	wir?	

23   Nebensätze

	1	2	3, 4, 5, …	Verb Teil 2
Ich lerne Deutsch,	weil	ich	nach Deutschland	gehe.
Er ist der Meinung,	dass	die Stadt	sehr schön	ist.
Wir machen eine Reise,	wenn	wir	genug Geld	verdient haben.

Textgrammatik

24   Sätze verbinden: deshalb, weil, dass, wenn

A: Warum lernst du Deutsch?

B: Ich lerne Deutsch, weil ich in Deutschland studieren möchte.

A: Ach so, deshalb lernst du Deutsch.

B: Ja. Ich denke, dass Deutsch eine schöne Sprache ist.

A: Vielleicht lerne ich es auch, wenn ich einmal Zeit habe.

Grammatikbegriffe

Bezeichnung	Beispiel	Meine Sprache / Notizen
Adjektiv, das	Das Wetter ist schön. Das schöne Wetter.	
Adverb, das	Da vorne ist ein Fluss.	
Akkusativ, der	Ich kaufe einen Hut. Ich mag den Hut.	
Artikel, der	der Mann – ein Mann das Kind – ein Kind die Frau – eine Frau	
Aussagesatz, der	Ich heiße Jan. Wie heißt du? Ich wohne in Graz. Wohnst du auch in Graz?	
Dativ, der	Die Sachen passen dem Mann / dem Kind / der Frau / den Leuten.	
Definitartikel, der	Der Kuchen ist gut. Das Eis ist gut. Die Torte ist gut.	
Demonstrativpronomen, das	Schau mal, der Mann! – Der / Dieser da? Schau mal, das Kind! – Das / Dieses da? Schau mal, die Frau! – Die / Diese da?	
Fragepronomen, das	Was für ein Ring gefällt dir? Welches Handy nimmst du? Dieses oder dieses?	
Fragesatz, der	Ich heiße Jan. Wie heißt du? Ich wohne in Graz. Wohnst du auch in Graz?	
Hauptsatz, der	Ich lerne Deutsch, weil ich in Deutschland studieren möchte.	
Imperativ, der	Spiel Fußball! Spielt Fußball! Spielen Sie Fußball! Machen Sie den Computer an!	
Indefinitartikel, der	Das ist ein Hut. Das ist ein Haus. Das ist eine Bürste.	
Indefinitpronomen, das	Man isst viel Brot in Deutschland.	
Komparativ, der	München ist groß. Wien ist größer.	
Kompositum, das	das Butterbrot = die Butter + das Brot das Wohnzimmer = wohnen + das Zimmer	
Konjunktiv (II), der	Ich hätte gern ein Handy.	
Modalverb, das	Wir können / wollen / müssen / dürfen / sollen schwimmen.	
Nebensatz, der	Ich lerne Deutsch, weil ich in Deutschland studieren möchte.	
Negativartikel, der	Das ist kein Hut. Das ist kein Haus. Das ist keine Bürste.	

Bezeichnung	Beispiel	Meine Sprache / Notizen
Nomen, das	Der Mensch kauft Autos und Computer. Aber Glück kann man nicht kaufen.	
Nominativ, der	Die Frau kauft einen Hut. Der Hut ist teuer.	
Perfekt, das	Ich bin gegangen. Ich habe gelernt.	
Personalpronomen, das	Ich singe. Du singst. Er singt. Sie singt. Es singt. Wir singen. Ihr singt. Sie singen.	
Plural, der	der Stift – die Stifte das Buch – die Bücher die Flasche – die Flaschen	
Possessivartikel, der	Das ist mein Freund. Das ist deine Freundin. Das sind unsere Freunde.	
Präposition, die	Ich komme aus Deutschland. Ich komme um 8 Uhr.	
Präsens, das	Heute bin ich glücklich. Ich habe viel Spaß.	
Präteritum, das	Gestern war ich glücklich. Ich hatte viel Spaß.	
Reflexive Verben	Ich schäme mich. Er beeilt sich.	
Satzklammer, die	Ich stehe um 8 Uhr auf. Ich muss heute arbeiten. Ich bin vor einem Jahr nach Berlin gekommen.	
Singular, der	der Stift – die Stifte das Buch – die Bücher die Flasche – die Flaschen	
Superlativ, der	München ist groß. Wien ist größer. Berlin ist am größten.	
Trennbare Verben	aufstehen: Ich stehe auf. losfahren: Ich fahre los. anfangen: Ich fange an.	
Verb, das	Ich bin Jan. Ich wohne in Graz. Ich mag Musik.	
Verb mit Vokalwechsel, das	ich esse – du isst – er isst – wir essen	
Verneinung, die	Ich esse nicht gern Brot. Ich esse kein Brot.	
Wechselpräposition, die (Lokale Präpositionen mit Akkusativ und Dativ)	Ich gehe ins Haus. Ich bin im Haus. Ich gehe auf den Berg. Ich bin auf dem Berg. Ich gehe an den Fluss. Ich bin am Fluss.	

Phonetikbegriffe

Bezeichnung	Beispiel	Meine Sprache / Notizen
Ach-Laut	[x] Kuchen	
Ang-Laut	[ŋ] Dinge	
Akzentvokal, der	Ku_chen, e_ssen	
Diphtong, der	au [aʊ̯], äu [ɔœ̯], eu [ɔœ̯], ai [aɛ̯], ei [aɛ̯]	
Fortis (starke Konsonanten)	[b], [t], [k], [f], [s], [ʃ], [ç], [x]	
Gliederung (Pausen)	Ich reise mit meiner Freundin, / mit meiner Tante / und mit meinem Freund / nach Berlin.	
Ich-Laut	[ç] Milch	
Konsonant, der	b, c, d, f, g, … / [b], [ts], [d], [f], [g], …	
Konsonantenverbindungen	[ts] **Z**oo, rech**ts**, [ks] Te**x**t, lin**ks**, [pf] To**pf**	
Laut, der	z. B. E-Laut [eː] l_esen, g_eh_en, der T_ee_ [ɛ] e_ssen, lä_cheln [ɛː] der K_ä_se	
Lenis (schwache Konsonanten)	[b], [d], [g], [v], [z], [j], [ʁ]	
Plosive	[p], [t], [k], [b], [d], [g]	
R-Laute	R-Konsonant [ʁ] rot R-Vokal [ɐ̯] Uhr, teuer	
Rhythmus, der	hm-hm-**HM**! = Guten **Tag**! Hm-**HM**-hm? = Wie **geht's** dir?	
Satzakzent, der	Wir essen **Ku**chen.	
Satzmelodie, die	Wir essen Kuchen.↘ Esst ihr Kuchen? ↗	
Schwa-Laut (schwaches e)	[ə] gegessen	
Silbe, die	Ber-ge	
stimmhaft (mit Stimme)	[z], [j], … (die meisten Lenis-Konsonanten)	
stimmlos (ohne Stimme)	[s], [p], … (alle Fortis-Konsonanten)	
Vokal, der	a [aː], e [eː], i [iː], o [oː], u [uː]	
Vokal am Anfang (Vokalneueinsatz)	|**au**s, ge|**a**rbeitet	
Wortakzent, der	**Ku**chen, **es**sen	
Wortgruppen(ketten)	Wenn das Spiel zu **En**de ist, / dann räumen wir **auf**.	

lesen

ausfüllen

schreiben

verbinden

ankreuzen

markieren

zuordnen

Übungsbuch

Online wiederholen und testen nach jeder Lektion

- pro Lektion 5 Übungen mit allen wichtigen Themen der Lektion
- mit Übungs- und Testmodus
- mit Hilfen / mit Auswertung auf www.klett-sprachen.de/dafleicht, auch für Tablets

Bildwörterbuch

11 Das sind wir

Nomen
die Band, -s
das Konzert, -e
der Sänger, -/
die Sängerin, -nen
das Instrument, -e (Musik)
das Klavier, -e
die Gitarre, -n
die Flöte, -n
das Schlagzeug, -e
der Bass, -ä-e
die Trompete, -n
das Saxofon, -e
die Rockmusik/der Rock (Sg.)
die Popmusik/der Pop (nur Sg.)
die Klassik (nur Sg.)
der Hip-Hop (nur Sg.)

der Jazz (nur Sg.)
der Stil, -e (Musik)
der Manager, -/
die Managerin, -nen
der Sozialarbeiter, -/
die Sozialarbeiterin, -nen
das Profil, -e
das Interview, -s
das Studienfach, -ä-er
der Körper, -
die Stimme, -n
der Rhythmus, Rhythmen
der Anfang, -ä-e
der Rap, -s
der Reim, -e
der/die Neue, -n
das Tagebuch, -ü-er

der Stern, -e
der Zug, -ü-e
die Politik (nur Sg.)
der Briefkasten, -ä-
der Ehering, -e
der Start, -s
der Mitbewohner, -/
die Mitbewohnerin, -nen
der Putzplan, -ä-e
der Müll (nur Sg.)
der Helm, -e
die Hecke, -n
das Heimatland, -ä-er
die Ausbildung, -en
das Au-pair, -s
das Asyl (nur Sg.)
der Krieg, -e

2

Assoziationen

studieren

ins Ausland gehen

die Ausbildung

3

Beispiele

Musikinstrumente: *die Trompete,* _____

Musikstile: *der Jazz, die Klassik,* _____

Musik ist: *laut* _____

4

Im Kontext

einen Pass
eine Ausbildung
Deutsch
in eine neue Wohnung
in ein Land

abschließen
flüchten
umziehen
beantragen
üben

der Saisonarbeiter, - /
die Saisonarbeiterin, -nen
das Austauschprogramm, -e
der Studienplatz, -ä-e
der Grund, -ü-e
der Lebenslauf, -ä-e
die Schule, -n
die Muttersprache, -n
die Staatsbürgerschaft, -en
die Staatsangehörigkeit, -en
der Familienstand
das Geburtsjahr, -e
der Geburtsort, -e
der Zuwanderer, - /
die Zuwanderin, -nen
der Pass, -ä-e
der Schüler, - /
die Schülerin, -nen

Verben
motivieren
diskutieren
passieren
akzeptieren
irritieren
beantragen
flüchten
abschließen, schließt ab
auftreten, tritt auf
umziehen, zieht um
annehmen, nimmt an
üben
wissen, weiß

Adjektive
fröhlich
traurig
rhythmisch
langsam
nah
freundlich
böse
automatisch
ledig
geschieden
blöd
bekannt
beliebt

Adverbien
genug
hoffentlich
überall
unterwegs
dort

Fragewörter
Was für ein …?

Wendungen
Ich habe mich verliebt.
In Deutschland ist das
anders / genauso.
Wir diskutieren über
Politik.

5

Fragen und Antworten

1. Was für _____ ?

   Ich spiele kein Instrument.

2. Was für _____ ?

   Ich mag gerne Pop und Rockmusik.

3. Was für _____ ?

   Er ist Sozialarbeiter.

6

Mein Lebenslauf

Name:
Adresse:
Geburtsjahr:
Familienstand:
Staatsbürgerschaft:
Ausbildung:
Studium:

7  *Seite 12 KB, 1-3* *Track 1*

Was für ein Musikinstrument hören Sie?

1. *eine Flöte* _____

2. _____

3. _____

ich höre

4. _____

5. _____

6. _____

8

Wie heißen die Musikstile?

1. koRc *Rock* _____

2. laksisK _____

3. zJza _____

4. HHoipp _____

5. pPo _____

9

Wie ist Musik? Wie heißt das Gegenteil?

laut ↔ _____

modern ↔ _____

schnell ↔ _____

fröhlich ↔ _____

schön ↔ _____

unrhythmisch ↔ _____

10 *Seite 12 KB, 2*

Was für …? Ergänzen Sie die Fragen.

1. Was für   *eine*   Gitarre ist das?

2. Was für _____ Musiker magst du?

3. Was für _____ Instrument spielt er?

4. Was für _____ Lied ist das?

5. Was für _____ Band ist jetzt modern?

11a

Lesen Sie den Text über Cro. Was passt?

Der Musiker Cro ist in Deutschland sehr bekannt. Er wohnt in Stuttgart und ist 1990 geboren. Cro ist sein Künstlername. Er heißt eigentlich Carlo Waibel. Cro sind Buchstaben in seinem Vornamen. Sein Musikstil heißt „Raop", das ist Rap und Pop zusammen. Er singt und reimt auf Deutsch. Er kann Klavier und Gitarre spielen. Aber im Konzert spielt er kein Instrument. Cro trägt immer eine Maske, eine Pandabär-Maske. Denn er will anonym bleiben.

1. Wo   a. Instrumente kann er spielen?

2. Wann   b. heißt er richtig?

3. Wie   c. Musikstil ist „Raop"?

4. Was für einen   d. wohnt er?

5. Was für ein   e. Maske trägt er?

6. Was für   f. Beruf hat er?

7. Was für eine   g. ist er geboren?

11b

Schreiben Sie die Antworten in das Profil.

Name: _____

Künstlername: _____

Wohnort: _____

Geburtsjahr: _____

Beruf: _____

Musikstil: _____

Instrumente: _____

Maske: _____

Seite 14 KB, 4 *Track 2*

Interview mit Tobias. Ordnen Sie die Sätze. Hören Sie dann das Interview und kontrollieren Sie.

a *Tobias:* Ist doch klar! Weil mir Hip-Hop gefällt. Und weil die Musik einfach gut ist. Hip-Hop ist in Deutschland sehr beliebt. Viele mögen die Musik und Stuttgart ist ein Zentrum für Hip-Hop.

b *Interviewerin:* Braucht man denn Business als Musiker?

c *Interviewerin:* Und warum machst du – macht ihr – Hip-Hop?

d *Interviewerin:* Und du bist der Manager von LinguaPlus.

e *Tobias:* Ich habe da studiert, weil es da die Popakademie gibt. Da kann man Popmusik und Business studieren.

f *Interviewerin:* Klar, das weiß ich auch. Noch eine Frage: Warum spielt ihr bei LinguaPlus keine Instrumente?

g *Interviewerin:* Ich weiß schon: Dein Künstlername ist „Teee", du wohnst in Tübingen in der Nähe von Stuttgart und du hast in Mannheim studiert. Warum hast du in Mannheim studiert?

h *Tobias:* Natürlich braucht man Business! Weil Musiker auch Geld verdienen müssen. Und weil Management wichtig ist.

j *Tobias:* Ja.

k *Tobias:* Na ja, wir spielen nicht Gitarre und so. Wir brauchen keine Instrumente, weil unser Körper und unsere Stimme Instrumente sind. Hör mal!

Verbinden Sie die Fragen und Antworten. Was passt?

1. Warum gefällt vielen Leuten Hip-Hop?
2. Warum klingt Hip-Hop auch ohne Instrumente gut?
3. Warum gehen viele Leute auf Hip-Hop-Konzerte?

a. Weil die Stimme das Instrument ist.
b. Weil die Musik rhythmisch und einfach gut ist.
c. Weil Hip-Hop beliebt ist.

Markieren Sie weil und das Verb in den Nebensätzen in 13a.

Wer ist es: Cro oder Tobias? Warum? Schreiben Sie die Gründe.

1. Man sieht sein Gesicht nicht im Konzert. Das ist _____, weil er _____ (Er trägt eine Maske.)
2. Er heißt im Konzert Teee. Das ist _____,_____ (Teee ist sein Künstlername.)
3. Er ist der Manager in der Band. Das ist _____,_____ (Das ist sein Beruf.)
4. Er spielt Klavier. Das ist _____,_____ (Er kann es.)
5. Sein Musikstil heißt Raop. Das ist _____,_____ (Das war seine Idee.)

Schreiben Sie Antworten mit weil-Sätzen.

Warum ist Stuttgart bekannt für Hip-Hop?

1. Hip-Hop hat in Stuttgart Tradition.
2. Schon 1990 war Hip-Hop aus Stuttgart in ganz Deutschland beliebt.
3. Stuttgarter Hip-Hop hört man oft im Radio.
4. Viele Hip-Hop-Bands kommen aus Stuttgart.
5. Es gibt jedes Jahr ein Hip-Hop-Festival in Stuttgart.

Stuttgart ist bekannt für Hip-Hop,
weil Hip-Hop in Stuttgart Tradition hat,
_____
_____
und _____.

16  *Seite 15 KB, 5*

Lesen Sie den Text. Welche Antworten passen zu welchen Fragen?

Deutscher Hip-Hop unterwegs. 2012 war LinguaPlus in Ägypten. Und das war nur der Anfang. Danach ist die Band viel für das Goethe-Institut gereist: nach Jordanien, in die Türkei, nach China, nach Kasachstan. Das Besondere: LinguaPlus gibt nicht nur Hip-Hop-Konzerte. Die Band macht auch Workshops für Schüler und Studenten. Deutsch lernen mit Rap und Rhythmus, das ist bei Deutschlernern und Deutschlehrern beliebt. Denn mit Musik und Sprechgesang kann man super Deutsch lernen.

1. Für wen tourt die Band?
2. Warum war die Band in Ägypten?
3. Warum war Ägypten nur der Anfang?
4. Was für Konzerte gibt LinguaPlus?
5. Warum macht die Band auch Workshops?

a. Für das Goethe-Institut.
b. Weil man mit Rap und Rhythmus gut Deutsch lernt.
c. Weil sie da Konzerte gegeben hat.
d. Weil sie danach noch in vielen Ländern waren.
e. Die Band gibt Hip-Hop-Konzerte.

17

Lesen Sie die Fanpost. Verbinden Sie die markierten Sätze mit weil.

Hallo LinguaPlus!
Der Workshop war so toll. Hip-Hop macht so viel Spaß. In unserer Klasse machen wir jetzt viel Hip-Hop. Deutsch mit Hip-Hop ist lustig. Alle sind in Bewegung.
Ihr seid super!
Ali

1. *Der Workshop war so toll, weil Hip-Hop so viel Spaß macht.*
_____, weil
_____.

Hey ihr vier,
ich lerne jetzt Deutsch im Rhythmus. Das geht sehr gut. Es gibt Reime im Song. Kommt bitte wieder!
Birhan

2. _____, weil
_____.

Danke, LinguaPlus!
Ich spreche jetzt gern Deutsch. Mein Akzent ist jetzt gut.
Das sagt meine Lehrerin.
Alles Liebe
Kira

3. _____, weil
_____.

18

Ordnen Sie die weil-Sätze.

1. Mein Bruder | er | Deutsch | deutschen Fußball | mag | lernt | weil

Mein Bruder lernt Deutsch, weil er _____.

2. Ich | meine Eltern | Deutsch | spreche | kommen | aus der Schweiz | weil

Ich _____.

3. Mein Mann | als Kind | er | Deutsch | in Deutschland | war | fünf Jahre | versteht | weil

Mein Mann _____.

4. Ihr Freund | er | in Graz | Deutsch | lernt | arbeitet | weil

Ihr Freund _____.

5. Ich | die Sprache | deutsche Songs | höre | schön ist | weil

Ich _____.

19 📄 *Seite 16 KB, 8-10*

Rätsel. Wie heißt das Lösungswort?

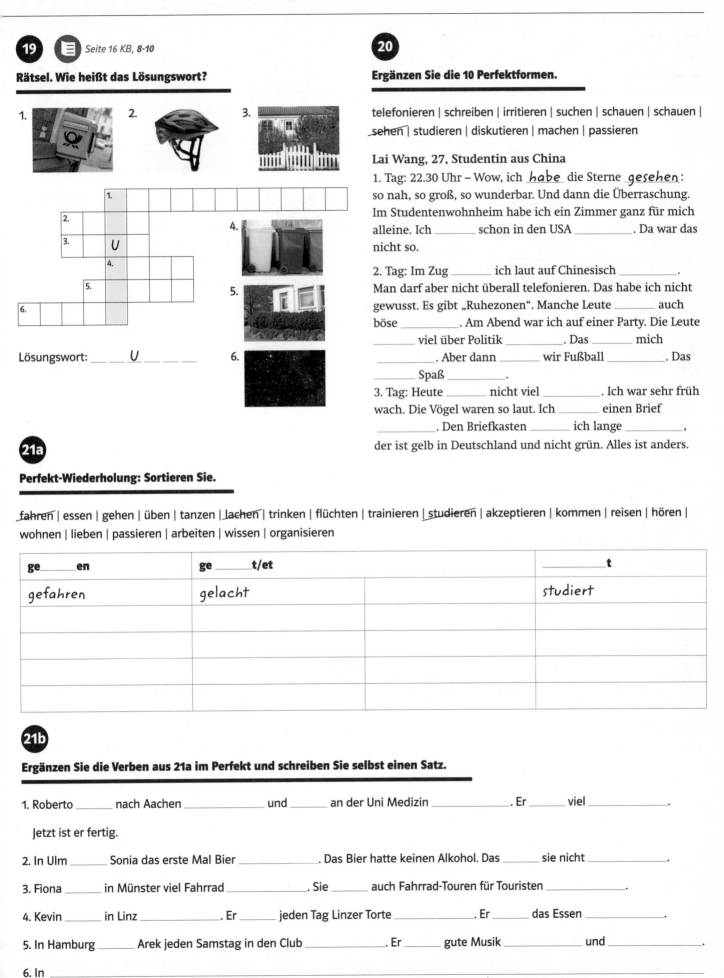

1.
2.
3.

Lösungswort: __ __ **U** __ __ __

4.
5.
6.

20

Ergänzen Sie die 10 Perfektformen.

telefonieren | schreiben | irritieren | suchen | schauen | schauen | sehen | studieren | diskutieren | machen | passieren

Lai Wang, 27, Studentin aus China

1. Tag: 22.30 Uhr – Wow, ich *habe* die Sterne *gesehen*: so nah, so groß, so wunderbar. Und dann die Überraschung. Im Studentenwohnheim habe ich ein Zimmer ganz für mich alleine. Ich _____ schon in den USA _____. Da war das nicht so.

2. Tag: Im Zug _____ ich laut auf Chinesisch _____. Man darf aber nicht überall telefonieren. Das habe ich nicht gewusst. Es gibt „Ruhezonen". Manche Leute _____ auch böse _____. Am Abend war ich auf einer Party. Die Leute _____ viel über Politik _____. Das _____ mich _____. Aber dann _____ wir Fußball _____. Das _____ Spaß _____.

3. Tag: Heute _____ nicht viel _____. Ich war sehr früh wach. Die Vögel waren so laut. Ich _____ einen Brief _____. Den Briefkasten _____ ich lange _____, der ist gelb in Deutschland und nicht grün. Alles ist anders.

21a

Perfekt-Wiederholung: Sortieren Sie.

fahren | essen | gehen | üben | tanzen | lachen | trinken | flüchten | trainieren | studieren | akzeptieren | kommen | reisen | hören | wohnen | lieben | passieren | arbeiten | wissen | organisieren

ge____en	ge____t/et	____t
gefahren	gelacht	studiert

21b

Ergänzen Sie die Verben aus 21a im Perfekt und schreiben Sie selbst einen Satz.

1. Roberto _____ nach Aachen _____ und _____ an der Uni Medizin _____. Er _____ viel _____.

   Jetzt ist er fertig.

2. In Ulm _____ Sonia das erste Mal Bier _____. Das Bier hatte keinen Alkohol. Das _____ sie nicht _____.

3. Fiona _____ in Münster viel Fahrrad _____. Sie _____ auch Fahrrad-Touren für Touristen _____.

4. Kevin _____ in Linz _____. Er _____ jeden Tag Linzer Torte _____. Er _____ das Essen _____.

5. In Hamburg _____ Arek jeden Samstag in den Club _____. Er _____ gute Musik _____ und _____.

6. In _____

22a ▤ Seite 18 KB, 11-13

Verbinden Sie.

1. Geld
2. Asyl
3. ein Praktikum
4. Freunde
5. aus einem Land
6. für eine Firma
7. einen Studienplatz

a. bekommen
b. machen
c. verdienen
d. arbeiten
e. beantragen
f. besuchen
g. flüchten

22b

Welches Wort passt?

Saisonarbeiter | Ausbildung | Austauschprogramme | Au-pair | Krieg | Zuwanderer | Pass

1. Er kommt aus Russland und will in die Schweiz reisen. Er braucht einen _____ .

2. Sie macht eine _____ als Fotografin, weil sie gern fotografiert.

3. Das Hotel braucht im Sommer _____ , weil dann so viele Gäste kommen.

4. Marie arbeitet ein Jahr als _____ in einer Familie mit zwei Kindern in Köln.

5. Es gibt in Deutschland _____ aus der ganzen Welt.

6. Viele Menschen flüchten aus ihrem Heimatland, weil dort _____ ist.

7. Die Universitäten haben mit vielen Ländern _____

23 ▤ Seite 18 KB, 12 🔊 Track 3

Hören Sie. In jedem Satz ist ein Fehler. Korrigieren Sie.

1. Marco hat seinen Onkel in Österreich besucht und sich in eine Frau verliebt. Jetzt ist er verheiratet und lebt in Klagenfurt.

Marco hat nicht seinen Onkel, er hat Freunde besucht.

2. Lieke hat einen Praktikumsplatz in Basel. Sie studiert Medizin. _____

3. Ela hat eine Ausbildung im Hotel auf der Insel Rügen gemacht. Sie hat auch Geld verdient. _____

4. Sami hat Asyl beantragt, weil er in Deutschland arbeiten möchte. _____

5. José ist von Beruf Journalist und hat in Frankfurt Arbeit bekommen. _____

6. Kathie arbeitet als Au-pair in Freiburg. Ihr Professor hat ihr von den Austauschprogrammen erzählt. _____

24

Nicht trennbare Verben. Wie heißen die Partizipien?

beantragen | beginnen | bekommen | bestellen | besuchen |
bezahlen | erzählen | erleben | verbessern | verdienen | verstehen

_____en	_____t
begonnen	beantragt

25

Schreiben Sie die Geschichte im Perfekt.

Ich gehe nach Deutschland. Zuerst beantrage ich einen Pass. Dann bestelle ich ein Ticket im Reisebüro, bezahle es und dann fliege ich nach Deutschland. Dort besuche ich meine Schwester in Düsseldorf. Ich lerne Deutsch und ich verstehe die Sprache gut. Ich bekomme Arbeit im Hotel. Ich beginne am 1. April.

Ich bin nach Deutschland gegangen. Zuerst habe ich ...

 Seite 19 KB, **14-15**

Ordnen Sie die Wörter zu.

E-Mail | Sprachen | Ausbildung / Studium | Telefon | Name |
Familienstand | Wohnort | Staatsangehörigkeit | Geburtsdatum
und Geburtsort | Berufserfahrung

Lebenslauf

_____ : Jana Kleofas

_____ : Kantstraße 26, 09111 Chemnitz

_____ : (0049)0 170 / 22 59 871

_____ : jana.kleofas@hotmail.com

_____ : verheiratet, seit 15.09.2013,
ein Kind, geboren am 12.10.2014

_____ : deutsch

_____ : 25.03.1988 in Opava (Tschechien)

_____ : 2014: Sportmanagerin bei Sportschuh
2013: Praktikum bei Sportschuh
2011: Trainerin im Fitnesscenter Bleib fit!

_____ : 2012: Bachelor in Sportmanagement
an der Universität Chemnitz
2010: Ausbildung als Fitnesstrainerin

_____ : Deutsch und Tschechisch (Mutter-
sprachen), Englisch (C1)

26b

Beantworten Sie die Fragen zum Lebenslauf.

1. Wann ist Jana geboren? _____

2. Was hat sie studiert? _____

3. Wann hat sie ihr Studium abgeschlossen? _____

4. Wann hat sie ein Kind bekommen? _____

5. Was für eine Ausbildung hat sie gemacht? _____

_____

6. Wie viele Sprachen spricht sie? _____

7. Wo arbeitet sie? _____

27a

Nicht trennbar oder trennbar? Schreiben Sie die Partizipien.

abschließen | annehmen | bekommen | umziehen | besuchen |
verdienen | verlieben | anfangen | erzählen

nicht trennbar	trennbar
bekommen	abgeschlossen

27b

Jana schreibt über ihr Leben.
Ergänzen Sie die Verben aus 27a im Perfekt.

Ich bin 2008 nach Deutschland gekommen und habe dort mein

Glück gefunden! Zuerst war es nicht so schön, ich _____

oft _____ und _____ wenig Geld

_____ . Aber jetzt wohne ich schon drei Jahre in

Würzburg und alles ist gut. Nach meiner Ausbildung als Fitness-

trainerin _____ ich ein Studium in Sportmanagement

_____ , 2012 _____ ich es _____ .

Endlich! Jetzt bin ich Managerin für eine große Sportfirma. Das

macht Spaß! Dort habe ich auch meinen Mann kennengelernt

und mich gleich in ihn _____ . Manfred und ich

haben 2013 geheiratet und ein Jahr später _____ wir Felix

_____ , unser Glückskind ☺. Im Sommer 2015

_____ ich die deutsche Staatsbürgerschaft

_____ . Wir haben ein Fest gefeiert und meine

Eltern _____ uns _____ . Das war so schön,

wir _____ so viel gelacht und _____ .

28

Richtig schreiben: Diphthonge. Was mögen Sie? Schreiben Sie.

mit ei: Eis | Reime | mein Heimatland | Fleisch | Kleider | Zeitungen | Zeitschriften | Weißbrot
ich mag: _____ ; ich mag kein/keine/ich mag ... nicht: _____

mit au: ein Haus | Autos | Frauen | Bauern | Laufschuhe | Pausen
ich mag: _____ ; ich mag kein/keine/ich mag ... nicht: _____

mit eu: Deutsch | Freunde | Leuchttürme | den Euro | Schlagzeug | Europa
ich mag: _____ ; ich mag kein/keine/ich mag ... nicht: _____

mit äu: Mäuse | Bäume | Träume | Krankenhäuser | Baumhäuser
ich mag: _____ ; ich mag keine _____

29

Wie sind Sie? Warum sind Sie so? Schreiben Sie.

fröhlich | traurig | böse | kommunikativ | glücklich | sozial | mutig | sportlich | freundlich | ...

Ich bin fröhlich, weil ich Musik höre.   Ich bin traurig, weil ich morgen wegfahre.   Ich bin _____
Ich bin fröhlich, weil heute Samstag ist.   Ich bin traurig, weil ich alleine bin.   _____

30a

Schreiben Sie Ihren Lebenslauf wie in 26a.

_____ : _____	_____	_____
_____ : _____	_____	_____
_____ : _____	_____	_____
_____ : _____	_____	_____
_____ : _____	_____	_____

30b

Schreiben Sie Ihren Lebenslauf jetzt in Sätzen.

geboren, umgezogen, geheiratet, bekommen, begonnen, abgeschlossen, verdient, ...

ledig, verheiratet, Kind, ...

Schule, Ausbildung, Studium, Praktikum, Beruf, Job, ...

Lebenslauf: _____

_____

_____

_____

_____

_____

31a Track 4

Diphthonge (Ei-, Au- und Eu-Laute). Hören Sie die Beispiele.

Deutsch ist mein Traum

 31b Track 5

Hören Sie und üben Sie mit.

Ei-Laut: Ah! – Ei! | *Au-Laut:* Ah! – Au! | *Eu-Laut:* Oh! – Eu!

 31c Track 6

Hören Sie die Wortpaare. Achten Sie auf ei, au und eu.

1. **Ei** – **Au**! | 2. **Ei**s – **au**s | 3. heiß – Haus | 4. leid – laut | 5. auch – euch

 31d Track 7

Welche Wörter hören Sie? Markieren Sie in 31c.

 31e Track 6

Hören Sie noch einmal die Wortpaare und sprechen Sie nach.

 31f Track 8

Hören Sie und ergänzen Sie ein passendes Reimwort.

Das Ei ist weiß. Der Reis ist _____ .
Die Maus ist grau. Das Haus ist _____ .
Das *eu* ist in Leute, in Deutsch und in _____ .

 31g Track 9

Hören Sie die Lösung und sprechen Sie nach.

 31h Track 10

Hören Sie. Sprechen Sie nach. Achten Sie auf ei/ai, au, eu/äu.

Frau Meier aus Leipzig kauft Kleider aus Augsburg. Frau Maier aus Augsburg kauft Bäume aus Reutlingen. Herr Breuer aus Reutlingen kauft Autos aus Braunschweig. Herr Bräuer aus Braunschweig kauft Eier aus Blaubeuren.

 32a Track 11

Wortakzent in Verben auf –ieren. Hören Sie die Beispiele.

Was ist denn pas**sier**t? – Was kann schon pas**sie**ren?

 32b Track 12

Hören Sie. Sprechen Sie leise mit. Klopfen Sie den Wortakzent.

Akzep**tiert**?

Disku**tiert**, disku**tiert**, disku**tiert**.
Irri**tiert** …
Moti**viert**, moti**viert**, moti**viert**!
Irri**tiert** …
Disku**tiert**, moti**viert**, disku**tiert**, moti**viert**, …
Akzep**tiert**.

32c

Hören Sie noch einmal und sprechen Sie nach.

32d

Lesen Sie den Text vor. Sprechen Sie ausdrucksvoll.

 33a Track 13

Wörter und Fragen. Hören Sie und sprechen Sie nach.

probieren – Hast du das schon probiert?
passieren – Was ist denn passiert?
studieren – Wo hast du studiert?
motivieren – Bist du motiviert?
fotografieren – Was hast du fotografiert?
telefonieren – Hast du schon telefoniert?

 33b Track 14

Wortfamilien. Hören Sie und markieren Sie den Wortakzent (Akzentvokal lang _ oder kurz .).

fotografieren | Foto | Fotograf | Fotoapparat
organisieren | organisiert | Organisation | Organisationen
studieren | Student | Studentin | Studium
telefonieren | telefonierst | Telefon | Telefonnummer

33c

Hören Sie noch einmal und sprechen Sie nach.

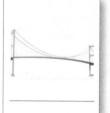

1

Bildwörterbuch

12 .... Chaos und Ordnung

Nomen

das Chaos (nur Sg.)
die Ordnung (nur Sg.)
das Hochhaus, -ä-er
die Brücke, -n
die Kirche, -n
die Mitte (nur Sg.)
das Schloss, -ö-er
das Design, -s
das Beispiel, -e
die Ecke, -n
die Stadtplanung, -en
der Experte, -n /
die Expertin, -nen
die Bank, -ä-e (Möbel)
der Weg, -e
der Gehweg, -e
der Verkehr (nur Sg.)

der Fußgänger, - /
die Fußgängerin, -nen
die Meinung, -en
der Brunnen, -
das Gartenlokal, -e
der Markt, -ä-e
die Spielstraße, -n
das Möbel, - (meist nur Pl.)
der Abfallkorb, -ö-e
das Wartehäuschen, -
der Typ, -en
die Süßigkeit, -en
der Zettel, -
das Dokument, -e
der Teppich, -e
das Zuhause (nur Sg.)
der Keks, -e
der Arbeitsplatz, -ä-e

die Wand, -ä-e
der Bildschirm, -e
die Computertastatur, -en
die (Computer-)Maus, -ä-e
der Job, -s
der Kuli, -s
der Eingang, -ä-e
der Boden, -ö-
das Regal, -e
die Energie, -n
die Kerze, -n
die Tür, -en
die Kamera, -s
der Komiker, - /
die Komikerin, -nen
der Schauspieler, - /
die Schauspielerin, -nen
der Autor, -en /

2

Assoziationen

Freunde treffen

das Gartenlokal

Stadt

das Hochhaus

3

Rätsel

Dort parken Autos:

_____   _____

Die Frau schreibt Bücher:

_____   _____

Er kann etwas sehr gut:

_____   _____

Dort arbeitet man:

_____   _____

die Autorin, -nen
der Alltag, -e
der Teller, -
die Suppe, -n
der Buchstabe, -n
der Parkplatz, -ä-e
der Chat, -s
die Größe, -n
das Projekt, -e

Verben
erklären
bedeuten
beschreiben
stellen
hängen
legen

ordnen
warten

Adjektive
ordentlich
chaotisch
hektisch
gemütlich
breit
bequem
unbequem
praktisch
unpraktisch
stabil
originell
gestresst
persönlich
leer

frei
zufrieden
unzufrieden
hell
besser
neu
genau

Adverbien
in der Mitte
oben
unten
vorne
hinten
früher
endlich

Präpositionen
neben
unter
über
vor
hinter
zwischen

Kleine Wörter
am liebsten
andere
der Größe nach

Wendungen
Ich finde, dass …
Es ist wichtig, dass …
Ich bin der Meinung, dass …
Ich möchte, dass …

4

Gegensätze ___

praktisch ↔ _____

ordentlich ↔ _____

leer ↔ _____

bequem ↔ _____

schmal ↔ _____

alt ↔ _____

5

Meinungen ___

Es ist _____, dass …

Ich f_____, dass …

Ich _____ der _____, dass …

6

Fragen und Antworten ___

1. Hast du mein Buch gesehen?

   Ich _____ es auf den Tisch _____.

2. Wohin kommt der Schrank?

   Wir _____ den Schrank in die Ecke.

3. Und das Bild?

   Wir _____ _____ an die Wand.

7 *Seite 24-25 KB, 1-2*

Was passt nicht?

1. die Stadt: modern | chaotisch | langweilig | schwer
2. das Haus: gemütlich | hektisch | ordentlich | schön
3. die Straße: breit | modern | schmal | pünktlich
4. der Park: schön | langweilig | toll | glücklich

8

Ergänzen Sie die Buchstaben und die passenden Artikel.

1.	G	e	s		h	ä		t	das
2.			S	t		a		e	
3.	H		c	h	h		u	s	
4.			B	a		k			
5.			e	r		e	h	r	
6.				l	u		s		
7.					h				
8.	B	ü		h	e				
9.	G	r		ß	s		a	d	

Lösungswort: _____

9

Ergänzen Sie die Wörter.

chaot ____ , ordent ____ , gemüt ____ ,

langweil ____ , ruh ____

10

Wo sind die Vögel? Schreiben Sie.

vorne | hinten | oben | unten | in der Mitte | links | rechts

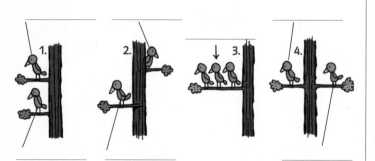

11

Ergänzen Sie oben, unten, vorne, hinten, in der Mitte.

Karlsruhe:
A: Wow! Von hier _____
sieht die Stadt ja toll aus!
B: Ich glaube, die Stadt ist
auch _____ cool.
Guck mal, da ist ein Park und
_____ steht ein
Schloss.
A: Ja, und da _____ ist auch ein See. Schön!

Frankfurt:
C: Cool! Sieh mal, die Hoch-
häuser.
D: Ja, toll …
C: … und _____ der
Fluss. Das ist der Main!
Siehst du auch die Boote
da _____? Und die Kirche? Die ist aber alt.
D: Ja, und da _____ sind Berge. Von hier oben sieht
ja alles ruhig aus, aber _____ ist es sicher laut und
chaotisch.

12

Was passt? Ergänzen Sie im Text.

A Es gibt da ein Amphitheater und ein Café.
B Von da oben sieht man die ganze Stadt.
C Die Grazer nennen es „Friendly Alien", weil es so verrückt
   aussieht.
D Alle Städte arbeiten zusammen und sind sehr kreativ.

> **Graz, „City of Design"**
> Graz, im Süden von Österreich, hat fast 300.000
> Einwohner und ist ca. 900 Jahre alt. Bekannt ist
> der Uhrturm auf dem Schlossberg. ☐ Seit 2011
> ist Graz UNESCO „City of Design". In Europa gibt
> es nur drei Cities of Design: Berlin, St. Étienne in
> Frankreich und Graz. ☐ In Graz findet man viele
> schöne Bauwerke. Zum Beispiel das Kunsthaus: ☐
> Oder auch die Murinsel, ziemlich genau in der
> Mitte vom Fluss. ☐ Man sieht: Design ist in Graz
> wichtig!

 *Seite 26 KB, 5-6*

13a

Lesen Sie den Text noch einmal und kreuzen Sie an.

Städte planen

„Was braucht eine Stadt? Wie und wo wollen wir leben?" Das haben wir den italienischen Architekten Vittorio Lampugnani gefragt. Er lebt in Zürich und ist Experte für Stadtplanung: „Ich glaube, dass es vor allem genug Platz geben muss. Die Menschen wollen gern auf den Straßen und Plätzen sein. Sie brauchen Bäume, Bänke und breite Gehwege. Es ist wichtig, dass die Menschen mit anderen sprechen und Spaß haben. Das hat sich auch in Zeiten von Smartphone und Facebook nicht geändert", meint Vittorio Lampugnani. „In den Städten gibt es zu viele Autos, der Verkehr ist chaotisch. Wir müssen den Fußgängern Platz geben. Die Menschen sind wichtig, nicht die Autos."

	richtig	falsch
1. Vittorio Lampugnani ist Schweizer.	☐	☐
2. Die Menschen wollen auf der Straße mit anderen Menschen reden.	☐	☐
3. Ein Platz braucht Bäume und Bänke.	☐	☐
4. Die Autos brauchen viel Platz. Das ist wichtig.	☐	☐
5. In Zeiten von Smartphone und Facebook sprechen die Menschen nicht viel.	☐	☐

13b

Meinungen: Schreiben Sie Sätze.

1. Ich bin der Meinung, dass (brauchen | viel Platz | Kinder)

_____

3. Ich möchte, dass (zufrieden | Menschen | mit ihrer Stadt | sind)

_____

2. Ich finde, dass (auf einem Platz | Bänke | wichtig sein)

_____

4. Ich denke, dass (gibt | in den Städten | es | zu viele Autos)

_____

14a *Track 15*

Hören Sie das Interview und ordnen Sie die Sätze zu.

1. Die Leute fahren gern mit dem Auto bis zum Geschäft.
2. Wir finden eine Lösung.
3. Wir verdienen dann nicht mehr so gut.
4. Einkaufen ist für viele ein Hobby.

Interviewer: In der Einkaufsstraße in unserer Stadt dürfen jetzt keine Autos fahren. Herr Müller, Sie sprechen für die Geschäftsleute und wollen das nicht. Warum?

Herr Müller: Wir haben Angst, dass ____. Ich denke, dass ____. Sie wollen ihre Taschen nicht weit tragen.

Interviewer: Aber die Menschen wollen in Ruhe einkaufen. Autos sind ja auch gefährlich.

Herr Müller: Ja, das ist richtig. Ich denke auch, dass ____. Aber die Leute wollen auch nicht weit gehen. Wir hoffen, dass ____.

Interviewer: Danke für das Gespräch.

14b

Schreiben Sie die Sätze.

1. Die Geschäftsleute haben Angst, dass _____

2. Herr Müller denkt, dass _____

3. Er denkt auch, dass _____

4. Sie hoffen, dass _____

15

Ergänzen Sie die Fragen.

1. In Deutschland gibt es 2061 Städte.
Weißt du, dass es in Deutschland _____

_____ ?

2. Ca. 75 % der Deutschen leben in einer Stadt.
Weißt du, dass _____

_____ ?

16a *Seite 27 KB, 7-9*

Welches Wort passt?

~~bequem~~ | stabil | modern | gemütlich | praktisch

2.   1.

1. _bequem_

4.   2. _____   3.

3. _____

 4. _____

5. _____ 5.

16b

Schreiben Sie Sätze.

1. _Die Bank ist_ _____

2. _____

3. _____

4. _____

5. _____

 16c

Ergänzen Sie.

Platz 1 ist in Leipzig. Er ist

sehr _____

und _____ . Es gibt

einen _____ .

Dort können die Kinder im

Sommer im Wasser spielen.

Platz 2 ist in Aachen. Er ist alt.

Auch der _____ auf

dem Platz ist schon alt. Im

_____ kann man

etwas essen und trinken. Der

Platz ist sehr _____ .

17a

Adjektive. Ergänzen Sie die Tabelle.

schön	
	älter
modern	
	breiter
viel	
gern	
gut	

 17b

Vergleichen Sie.

1. dein Haus – mein Haus: (schön sein)

Dein Haus ist schöner als mein Haus.

2. Rock – Hose: (alt sein) _Der Rock_

_____

3. Hip-Hop – Jazz: (modern sein) _____

_____

4. mein Vater – mein Onkel: (viel essen) _____

_____

5. ins Kino – ins Theater: (gern gehen)

Ich _____

6. Vanilleeis – Schokoladeneis: (gut schmecken) _____

 17c

Ergänzen Sie.

1. Ich finde die Kirche schön. – Nein, die da ist _____

2. Marie ist sehr hübsch. – Aber Anna ist _____

3. Gehst du gern ins Kino? – Nein, ich gehe _____

_____ ins Theater.

4. Kaffee schmeckt gut. – Nein, Tee schmeckt _____ .

5. Ich arbeite viel. – Aber ich arbeite _____ .

6. Der Film ist sehr interessant. – Ich finde, das Buch ist _____

_____

Seite 28-29 KB, 10-11

Umfrage: Wie sieht Ihr Schreibtisch aus? Lesen Sie die Kommentare.
Was passt zu wem? Ordnen Sie zu.

 1. Mein Schreibtisch? Der sieht chaotisch aus. Aber es gibt eine Ordnung – meine Ordnung! Nur meine Brille muss ich manchmal suchen oder den Kuli. Auch das Handy ist manchmal unter meinen Büchern, dann muss ich es suchen.

 2. Für mich ist Ordnung wichtig. Alles hat seinen Platz. Auf meinem Schreibtisch steht der Computer in der Mitte, neben der Tastatur liegt die Maus. Alle Kulis, Stifte usw. sind in einem Glas neben dem Telefon. Auf meinem Schreibtisch möchte ich keine Fotos, Postkarten usw.

 3. Ich arbeite sehr gern, aber bei der Arbeit sind mir auch Pausen wichtig! Auf meinem Schreibtisch habe ich immer ein paar Kekse, Schokolade oder Obst. Das wissen auch meine Kollegen und wir machen zwischendurch gern mal eine Pause und trinken einen Kaffee zusammen.

A Die Person ist sehr ordentlich. Vielleicht ist sie aber nicht so zufrieden.
B Sicher spricht die Person gern mit anderen, ist sehr sozial und kommunikativ.
C Vielleicht ist die Person kreativ. Manchmal hat sie vielleicht Organisationsprobleme.

 19a

Was sehen Sie? Schreiben Sie die Wörter ins Bild und ergänzen Sie den Artikel.

 19b

Wo sind die Dinge? Beschreiben Sie.

In der Mitte steht der Laptop. Neben dem ...

20a  Seite 30 KB, **12-14**

Was kann man wo in einer Wohnung sehen?

der Schrank | das Bett | der Schreibtisch | der Stuhl | Fotos | das Sofa | das Regal | der Fernseher | das Radio | die Badewanne |
die Dusche | der Tisch | die Lampe | Pflanzen | das Fenster | die Tür | Bücher | der Teppich

Im Wohnzimmer kann man oft _ein Sofa, Stühle,_ _____

_____ sehen.

Im Schlafzimmer kann man _einen Schrank,_ _____

_____ sehen.

Im Arbeitszimmer gibt es oft _____

_____.

Im Badezimmer / Im Bad gibt es _____

_____.

20b

Was ist da nicht?

Im Wohnzimmer sind meistens _keine Dusche, kein_ _____

Im Schlafzimmer sind meistens _keine Pflanzen,_ _____

Im Arbeitszimmer sind _____.

21

Wohin stellen, legen, hängen wir das? Schreiben Sie.

1. In der Küche fehlen Blumen.

2. Das Sofa steht frei im Wohnzimmer.

3. Im Wohnzimmer liegen Kissen und Decken auf dem Boden.

4. In der Wohnung sind keine Kerzen.

5. Die Schuhe stehen hinter der Tür.

6. Im Wohnzimmer gibt es keine Fotos und Bilder.

Stell Blumen in die Küche!

Stell das Sofa an die Wand!

Leg die _____

Stell _____

Stell _____

Häng _____

22a

Lesen Sie die Mail und ergänzen Sie.

vor dem | in | in | im | im | neben dem | an | ins | zwischen

Lieber Lars,

am Wochenende habe ich einen Zeitungsartikel über Feng-Shui gelesen – echt toll! Ich habe _____ meiner Wohnung sofort viele Dinge anders gemacht. Zuerst habe ich ein paar Fotos _____ Wohnzimmer gehängt. Fotos von Freunden und Familie bringen nämlich Energie _____ die Wohnung. _____ mein Sofa und das Fenster im Wohnzimmer habe ich eine Pflanze gestellt. Sieht echt toll aus! Und _____ Badezimmer und _____ Wohnzimmer sind jetzt viele Kerzen. Ganz wichtig: Ich habe mein Bett _____ die Wand gestellt. Nun schlafe ich viel besser! Den Schreibtisch habe ich nun nicht mehr direkt _____ Fenster, sondern _____ Fenster, so arbeite ich besser. Wann kommst du? Dann gebe ich dir auch ein paar Tipps ;-)

Lisa

22b

Lesen Sie die Antwort von Lars und ergänzen Sie.

im | auf der | vor dem | neben dem | auf dem

Hi Lisa,

du liest einen Zeitungsartikel und machst in deiner Wohnung gleich alles anders? Das finde ich wirklich komisch! Ich möchte keine Fotos _____ Wohnzimmer! Pflanzen brauche ich auch keine – ich bin doch so viel unterwegs. Auch _____ Balkon habe ich keine. Und Kerzen habe ich gern _____ Geburtstagstorte, aber nicht _____ Fernseher oder _____ Fenster. Tut mir leid, ich mag diese Feng-Shui-Sachen nicht. Ich will alles praktisch und ordentlich, du kennst mich ja. Aber ich komme dich gerne bald besuchen!

Kuss,
Lars

23 *Seite 31 KB, 15*

Korrigieren Sie die Biografie. Finden Sie die 4 Fehler?

Der Künstler Ursus Wehrli ist in Österreich geboren. Von Beruf ist er Komiker, Schauspieler und er schreibt auch Wörterbücher. Für sein Projekt „Kunst aufräumen" nimmt er Bilder von Kandinsky, Matisse, Joan Miró, Mondrian, Klee usw. und malt sie neu. Für „Aufräumen im Alltag" ordnet er Fahrräder nach Farben auf einem Parkplatz, eine Buchstabensuppe usw.

24

Beantworten Sie die Interview-Fragen.

1. Räumen Sie gerne auf? _____

2. Was sind Ihre Hobbys? _____

3. Was ist Ihre Lieblingsfarbe? _____

4. Was möchten Sie am liebsten mal aufräumen? _____

25

Sehen Sie sich die Fotos an und beschreiben Sie die Ordnung.

1. Die Hunde sind nach _____ geordnet. Der Hund links in der Mitte ist

_____ als der Hund rechts. Der Hund _____ ist größer als

_____

_____

_____

_____ .

2. Das ist ein Teller mit Gemüsebroten. Die Brote sehen wie Fahnen aus.

Oben links sehe ich die Fahne von _____

_____

_____

_____ .

3. Die Kleidung ist nach _____ geordnet.

Die Kleidung _____ ist _____ .

Die Kleidung _____ ist _____ .

In der Mitte _____

_____ .

26a

Richtig schreiben: das oder dass? Ergänzen Sie.

A: Schau mal, _____ Bett da. _____ ist doch wunderschön!

B: Ich finde auch, _____ Bett ganz schön ist, aber _____ da hinten finde ich schöner.

A: _____ finde ich nicht. Ich bin der Meinung, _____ _____ Bett hier gemütlicher ist.

B: _____ ist richtig, aber _____ andere Bett passt besser in mein Schlafzimmer.

A: _____ musst du entscheiden. Ich hoffe, _____ du _____ richtige Bett findest.

26b

Vergleichen Sie mit der Lösung auf Seite 141 und markieren Sie dann im Text alle dass.

27a

Frau Supercool. Ergänzen Sie.

Deine Stadt ist schön, aber meine Stadt ist schöner!

Dein Haus ist modern, aber mein Haus ist modern_____!

Dein Garten ist groß, aber mein Garten _____!

Dein Auto ist schnell, aber _____!

Deine Familie _____ nett, _____

Ich bin einfach cool, supercool.

27b

Herr Supercool. Schreiben Sie.

gesund | pünktlich | sympathisch | jung | hübsch | wichtig | …

28

Schreiben Sie eine Antwort: Die Bausteine helfen Ihnen.

Liebe Mara,

ich möchte mein Wohnzimmer neu einrichten. Kannst du mir Tipps geben?

Liebe Grüße

Lisa

Kerzen / Fotos / Pflanzen / Blumen / Jacken / Mäntel / Schuhe / Schreibtisch / Bett / …

in die Wohnung stellen / in den Schrank hängen / ins Regal stellen / nicht zwischen Tür und Fenster stellen / …

Liebe Lisa,

das mache ich gern ☺ _____

Wichtig ist, dass _____ und dass _____

Ich denke, dass _____

29a *Track 16*

H-Laut und Vokal am Anfang. Hören Sie das Beispiel.

Hallo, |ihr hier!

29b *Track 17*

Hören Sie. Achten Sie auf H/h oder Vokal am Anfang.

1. **h**alt – **a**lt | 2. **h**er – **e**r | 3. **h**ier – **i**hr | 4. **h**eiß – **E**is | 5. **H**und – **u**nd | 6. **H**alle – **a**lle | 7. **H**ecke – **E**cke | 8. **H**ände – **E**nde

29c *Track 18*

Welche Wörter hören Sie? Markieren Sie sie in 29b.

29d *Track 19*

H-Laut und Vokal am Anfang. Hören Sie und üben Sie mit.

Heft | **h**in | **H**und | **h**übsch | **H**aus | **h**eiß | **h**olen | **H**ut
ach | **e**cht | **i**ch | **o**ft | **u**nd | **au**s | **Ei**s | **eu**ch | **i**hn | **U**hr | **ü**ber

30 *Track 20*

Alle machen etwas. Hören Sie und sprechen Sie nach.

Hans hilft Hanna. | Hanna hat Hunger. | Herr Heuer hört Hip-Hop. | Heike holt Hamburger. | Anna arbeitet. | Ina isst ein Eis. | Emma erzählt etwas. | Ines ist irritiert. | Hans hilft Anna. | Anna hat Hunger. | Herr Heuer erzählt etwas. | Emma hört Hip-Hop.

31a *Track 21*

Beispiele ohne und mit Vokal am Anfang. Hören Sie.

1. im‿Mai / im |Ei
2. viel‿Jänger / viel |enger
3. Berli**n**er Leben / Berlin |erleben
4. Wie**n**er Leben / Wien |erleben
5. mit‿dir / mit |ihr

31b *Track 22*

Welche Beispiele hören Sie? Markieren Sie sie in 31a.

31c *Track 21*

Hören Sie noch einmal die Wortpaare und sprechen Sie nach.

32 *Track 23*

Mein Hut. Hören Sie und sprechen und singen Sie mit.

Mein Hut, der hat drei Ecken, drei Ecken hat mein Hut. Und hat er nicht drei Ecken, dann ist es nicht mein Hut.

33a *Track 24*

Ang-Laut. Hören Sie das Beispiel.

Da**n**ke für die Einladu**ng**!

33b *Track 25*

Hören Sie die Familiennamen und achten Sie auf n, ng und nk.

1. Ma**nn** – Ma**nk** – Ma**ng** | 2. Bo**nn**e – Bo**nk**e – Bo**ng**e | 3. Re**nn**er – Re**nk**er – Re**ng**er | 4. Si**nn**er – Si**nk**er – Si**ng**er

33c *Track 26*

Welche Namen hören Sie? Markieren Sie sie.

33d *Track 25*

Hören Sie noch einmal die Namen und sprechen Sie nach.

34a *Track 27*

ng oder nk? Ergänzen Sie.

1. e**ng** | 2. E___el | 3. Ordnu___ | 4. Anfa___ | 5. Schi___en | 6. la___sam | 7. la___weilig | 8. da___e | 9. Di___e

34b

Hören Sie noch einmal und sprechen Sie nach.

35a *Track 28*

Hören Sie die Dialoge und achten Sie auf ng und nk.

1. **A:** Ach, ist das langweilig! Das ist so langweilig.
   B: Ruhe, das Konzert fängt gleich an!

2. **A:** Oh, das ist anstrengend! Stimmt denn die Richtung?
   B: Jaja, links ist richtig. Hier ist die Wohnung.
   A: Mach doch langsam.

35b

Hören Sie noch einmal und sprechen Sie nach.

13 Dies und das

Nomen

die Dame, -n
der Herr, -en
der Kiosk, -e
die Mode (nur Sg.)
der Optiker, - (Geschäft)
das Haushaltswarengeschäft, -e
der Buchladen, -ä-
der Elektroladen, -ä-
die Apotheke, -n
die Drogerie, -n
die Bäckerei, -en
der Schreibwarenladen, -ä-
das Schmuckgeschäft, -e
der Schuhladen, -ä-
das Spielzeuggeschäft, -e
der Friseur, -e (Geschäft)
die Pfanne, -n

der Topf, -ö-e
die Creme, -s
der erste Stock
das Erdgeschoss, -e
der Ausgang, -ä-e
der Aufzug, -ü-e
die Post (nur Sg.)
das WC, -s
das Taxi, -s
die Bank, -en
der Geldautomat, -en
die Spülmaschine, -n
die Waschmaschine, -n
der Föhn, -e
die Zahncreme, -s
die Tablette, -n
die Kontaktlinse, -n
die Briefmarke, -n

der Briefumschlag, -ä-e
der Ohrring, -e
der Einkauf, -ä-e
die Einkaufsliste, -n
der Verkäufer, - /
die Verkäuferin, -nen
das Angebot, -e
die Kasse, -n
das Fernsehen (nur Sg.)
die Ausstellung, -en
der Kasten, -ä-
das Futter (nur Sg.)
der Online-Shop, -s
das Formular, -e
die Datei, -en
der Artikel, -
der Betrag, -ä-e
das Paket, -e

2 Geschäfte

der
Optiker,

das
Schmuckgeschäft,

die
Post,

3 Einkaufsliste

die Zahncreme

die Information, -en
der Kontakt, -e
der Versand (nur Sg.)
der Gruß, -ü-e
die Sache, -n

Verben
aufmachen, macht auf
zumachen, macht zu
vergleichen
überweisen
ausfüllen, füllt aus
löschen
schicken
ändern
empfehlen, empfiehlt
gute Laune haben
jmdm. eine Freude machen

Adjektive
bar
nützlich
günstig
vernünftig
fair
bewusst
spontan
egal
multikulti
froh

Fragewörter
welcher, welches, welche

Pronomen
dieser, dieses, diese

Präpositionen (temporal)
seit
ab
nach
vor
zwischen

Kleine Wörter
deshalb
außerdem

Wendungen
Ich hätte gern …
Der Laden ist auf. / zu.
Zahlen Sie bar oder
mit Karte?
Hauptsache: günstig /
schick / …
Das stimmt nicht /
stimmt.
Das freut mich.
Prima!
Klar!

4

Fragen und Antworten ━━━━━━━━

1. Was hätten Sie gern?

   Ich _____ Spülmaschine.

2. Wie gefällt Ihnen diese hier?

   Sie _____ gut.

   Diese _____ ich.

3. Zahlen Sie _____ oder _____?

   Ich _____.

5

Kombinationen ━━━━━━━━

| Paket | Brief | Geld | Betrag | Information | Formular | Artikel | Produkt | Datei | | ausfüllen | ändern | löschen | überweisen | empfehlen | schicken |

ein Paket schicken, _____

_____

_____

6a *Seite 36-37 KB, 1-4*

Wie heißen die Läden? Was hätten Sie dort gern?
Schreiben Sie.

1. 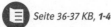   Im El_____laden:

Ich hätte gern eine Kaffeemaschine.

2.   Im S____u__laden:

_____

3.   Im Schr_____w_____laden:

_____

4.   Im B____hladen:

_____

5.   Im H____sh____w_____geschäft:

_____

6b

Ergänzen Sie die Läden.

Kiosk | Drogerie | Apotheke | Bäckerei | Optiker

Schon viel erledigt heute: Zuerst war ich in der ▓▓▓▓▓

und habe Brötchen gekauft. Dann habe ich am ▓▓▓▓▓

eine Zeitung gekauft. Ich habe dann noch die Brille beim

▓▓▓▓▓ abgeholt. In der ▓▓▓▓▓ habe ich

Zahncreme bekommen. Zum Schluss habe ich in der

▓▓▓▓▓ auch deine Kopfschmerztabletten gekauft.

7a *Track 29*

Was hätten Maja und Oskar gern?
Hören Sie und kreuzen Sie an.

7b

Hören Sie noch einmal und ergänzen Sie die Sätze.

Maja hätte gern einen _____, _____

_____ und _____ _____.

Oskar hätte gern _____ _____,

_____ _____, _____ _____

und _____ _____.

8

Rätsel. Finden Sie das Lösungswort?

der	__ __ __ __ __ __	Sie fahren mit dem ... in den ersten Stock.
die	__ __ __ __	Hier kaufen Sie Briefmarken.
der	__ __ __ __ __ __	Sie kaufen eine Brille.
die	__ __ b __ __ __ __ __	Eine ... brauchen Sie bei Kopfschmerzen.
die (Pl.)	__ __ __ __ __ __	Modegeschäft für Damen und ...
der	__ __ __ __ __ r __ __ __	Hier kann man eine Spülmaschine kaufen.
der	__ __ __ __ __	Hier bekommen Sie Zeitungen.
das	__ __ __ __ __ __ __ __ __ s __	Der Ausgang ist im ...

Lösungswort: die __ __ __ __ __ __ __ __

9a Seite 38 KB, **5-7**

Welcher? Dieser! Ergänzen Sie.

Welcher | Dieses | Welche | Diese | Welche (Pl.) | Welches | Diese (Pl.) | Dieser

1. _Welcher_____ Verkäufer ist frei?   _____ Verkäufer ist für Sie frei.

2. _____ Tasche gefällt Ihnen?   _____ Tasche gefällt mir.

3. _____ Buch ist so toll?   _____ Buch ist einfach super.

4. _____ Ohrringe sind günstig?   _____ Ohrringe sind sehr günstig.

9b

Welchen? Diesen! Ergänzen Sie.

Welchen | dieses | Welche | diese | Welche (Pl.) | Welches | diese (Pl.) | diesen

1. _____ Ausgang nehmen wir?   Wir nehmen _____ Ausgang dort hinten.

2. _____ Brot mögen Sie?   Wir mögen _____ Schwarzbrot.

3. _____ Creme kaufst du?   Ich kaufe _____ Creme.

4. _____ Tabletten brauchst du?   Ich brauche _____ Kopfschmerztabletten.

10

Was sagt der Verkäufer? Ergänzen Sie.

Und wie ist diese? Die ist im Angebot für 31 Euro. | Haben Sie noch einen Wunsch? | Kann ich Ihnen helfen? | Welche gefällt Ihnen denn? | Zahlen Sie bar oder mit Karte? | Die kostet 56 Euro.

Verkäufer: Kunde:

1. _Guten Tag!_____   Ja, wir suchen eine Pfanne.

2. _Sehr gern._____   Diese Pfanne gefällt uns sehr.

3. _____   Oh, das ist leider zu teuer.

4. _____   Prima, die nehmen wir.

5. _____   Nein danke, wir zahlen dann.

6. _____   Wir zahlen bar.

11 🔊 Track 30

Hören Sie zwei Einkaufsdialoge. Ordnen Sie sie.

	Ich weiß noch nicht.
2	Zahlen Sie bar oder mit Karte?
1	Kann ich Ihnen helfen? Welche Schuhe hätten Sie gern?
	Ja, die passen mir. Sie sind elegant und passen auch gut zu meinem Anzug. Diese Schuhe hätte ich gern.
	Wie finden Sie diese? Die haben wir neu.

	Ja, aber schauen Sie mal! Dieser ist im Angebot. Gefällt Ihnen der?
	Nein danke, ich zahle gleich. Kann ich mit Karte zahlen?
	Ja, gern. Ich brauche einen Topf. Sie haben so viele.
	Gern. Haben Sie noch einen Wunsch?
1	Guten Tag! Was hätten Sie gern? Kann ich Ihnen helfen?
	Hm, kann ich mal sehen? Ja. Der ist schön groß. Den nehme ich.

 *Seite 39 KB, 8-9*

Einkaufstypen. Ergänzen Sie die Wörter.

1. Shoppengehen macht mich glücklich. Die M⬜de ist mein Hobby. Oft gehe ich spontan shoppen. Ich kaufe dann, was mir gefällt. Ich v⬜e nie die Preise. Der Preis ist mir e⬜l.

2. Einkaufen? Ach, ich kaufe nicht so gern ein. Ich mache lieber andere Sachen. Ich kaufe nur, was ich brauche. Deshalb schreibe ich immer eine E⬜e. Dann geht es schnell im G⬜t.

3. Shoppengehen ist so eine Sache. Ich kaufe sehr b⬜t ein. Woher die Kleidung kommt, ist wichtig. Sie muss fair sein. Und das Essen muss ö⬜sch sein.

12b

Etwas begründen. Schreiben Sie die Sätze mit deshalb.

1. Mode ist ihr Hobby. (Sie geht oft spontan shoppen.) *Deshalb geht sie oft spontan shoppen.*

2. Sie kauft, was ihr gefällt. (Sie vergleicht nie die Preise.) _____

3. Er kauft nicht gern ein. (Er kauft nur, was er braucht.) _____

4. Er schreibt immer eine Einkaufsliste. (Es geht schnell im Geschäft.) _____

5. Sie findet es wichtig, dass die Kleidung fair ist. (Sie kauft sehr bewusst ein.) _____

6. Sie findet, dass Essen ökologisch sein muss. (Sie kauft nur im Bioladen ein.) _____

13

Warum? Schreiben Sie die Sätze.

1. Tina kauft, was ihr gefällt. *Deshalb* _____ (viel Geld – deshalb – ausgeben – sie)

2. Tom plant seine Einkäufe. _____ (Einkaufslisten – deshalb – schreiben – er)

3. Geld ist Fred wichtiger als Mode. _____ (die Preise – er – vergleichen – deshalb)

4. Hannes findet, Kleidung muss fair sein. _____ (er – deshalb – einkaufen – immer – sehr bewusst)

14

Und Sie? Schreiben Sie Sätze.

Ich mag (keinen) Stress. Deshalb _____.

Ich mag (kein) Chaos. Deshalb _____.

Ich brauche (keine) Ordnung. Deshalb _____.

 *Seite 40–41 KB, 10–11*

Ergänzen Sie die Präpositionen.

zwischen | ab | seit | nach | vor

1. Ich arbeite _____ vier Jahren in Bremen.

2. _____ 9 Uhr kommen die Kunden.

3. _____ 12 und 13 Uhr mache ich eine Pause.

4. _____ 15 Uhr kommen keine Kunden mehr.

5. Fünf _____ vier schließe ich die Bürotür ab.

2.

3.

4.

5.

Ergänzen Sie die Präpositionen im Text.

vor | nach | nach | seit | bis | zwischen

Späti im Gärtnerplatzviertel – nun auch in München

In Berlin, Hamburg oder Köln gibt es sie schon lange. Im Gärtnerplatzviertel in München hat nun auch ein Späti eröffnet. _____ vier Wochen kann man in München auch _____ 20 Uhr noch Bier, Milch und Toastbrot kaufen. _____ vier Wochen haben Franz Huemer und Helmut Neuhauser an der Baaderstraße einen Markt namens „Szenedrinks" eröffnet.

Das Besondere an dem Laden sind die Öffnungszeiten: Am Wochenende ist er _____ drei Uhr nachts geöffnet. Unter der Woche macht der Laden schon _____ 22 und 22.30 Uhr zu. Denn _____ halb elf kommen keine Kunden mehr.

Welche Präposition passt? Markieren Sie.

1. Nach | Vor der Arbeit geht er zu seiner Freundin.
2. Seit | Nach ein Uhr gehen sie aus.
3. Zwischen | Ab ein Uhr nachts machen die Clubs auf.
4. Zwischen | Nach 3 und 5 Uhr findet er das Nachtleben richtig gut.
5. Nach | Seit drei Jahren arbeitet sie im Krankenhaus.
6. Ab | Vor 22 Uhr ist sie oft nicht fertig.
7. Nach | Vor 22 Uhr kann sie nur im Späti einkaufen gehen.

18 ▤ *Seite 42 KB, 13*

Was machen der Verkäufer und der Kunde? Verbinden Sie und schreiben Sie Sätze.

1. Fotos	a. überweisen	*Der Verkäufer lädt Fotos hoch.*
2. Dateien	b. ausfüllen	
3. Geld	c. schreiben	
4. Passwort	d. hochladen	
5. Formulare	e. löschen	
6. Pakete	f. eingeben	
7. Mails	g. schicken	

19

Wie heißen die Verben?

än	schi	schen	dern	cken	lö

wei	aus	hoch	fül	la	len	den	über	sen

20

Schreiben Sie Sätze im Imperativ (Pl.).

1.  Fotos   *Ladet die Fotos hoch!*
2.  Formular
3.  Beträge
4.  Passwort
5.  Artikel

21a

Organisieren Sie eine Party! Schreiben Sie im Imperativ (Sg.).

die Wohnung aufräumen   *Räum die Wohnung auf!*

Gäste einladen

Getränke einkaufen

die Nachbarn informieren

Freunde vom Zug abholen

21b

Organisieren Sie Ihren Urlaub! Schreiben Sie.

die Preise vergleichen   *Vergleichen Sie die Preise!*

den Urlaub beantragen

die Sachen einpacken

losfahren

viel fotografieren

22a 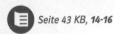 *Seite 43 KB, 14-16*

Ergänzen Sie.

1.
Versand | Online-Shop | Grüße |
empfiehlst | -artikel | Ohrringe

> Hallo Hermann,
> ich finde deinen _____ toll!
> Mir gefallen deine Schmuck_____
> sehr. Verkaufst du mir die _____
> in Blau? Oder nehme ich sie in Grün?
> Ich bin nicht sicher. Welche _____
> du mir?
> Und wie teuer ist der _____?
> Viele _____
> Tanja

2.
schick | Paket | empfehle | freut mich |
Gruß | Versand

> Liebe Tanja,
> das _____! Ich
> _____ dir das Paar in Grün.
> Das ist wundervoll! _____ mir
> deine Adresse! Die Ohrringe kosten
> 15 und der _____ kostet
> 4,95 Euro. Überweist du mir das Geld?
> Ich gebe das _____ dann
> am Montag in die Post.
> Lieben _____
> Hermann

3.
danke dir | Betrag | prima | klar

> Lieber Hermann,
> _____! Dann
> in Grün! Und _____,
> ich überweise dir den
> _____ noch heute.
> Ich _____!
> VG
> Tanja

22b

Ergänzen Sie die markierten Sätze.

Position 1	Verb	Dativ	Akkusativ
Ich		dir	

Verkaufst	du		

23a

Kunst verkaufen. Schreiben Sie die Sätze.

1. verkaufen | die Künstlerin | in der Ausstellung | ihre Bilder

Die Künstlerin _____ *in der Ausstellung.*

2. mir | Sie | ein Bild | verkaufen

_____?

3. das Geld | der Verkäuferin | der Kunde | überweisen

_____

4. seiner Tochter | ein Bild | der Mann | schenken

_____

23b

Etwas im Online-Shop kaufen. Schreiben Sie eine E-Mail. Stellen Sie Fragen zum Produkt und zum Versand.

> *Hallo* _____,
> *ich* _____
> _____
> _____
> _____

24

Richtig schreiben. Groß oder klein?

Kann ich ____hnen ____elfen?
Ich nehme den ____ullover in ____ot, die ____ose in ____rün, die ____ocken
in ____lau, den ____chal in ____osa, die ____hrringe in ____chwarz. Ich mag
es ____eute ____unt.
Zahlen ____ie ____ar oder mit ____arte?

25

Richtig schreiben. Ergänzen Sie s, ss, ß.

der Ver____and, die Po____t, die Ka____e, der Ka____ten, der Gru____,
die Grü____e, der Au____gang, die Au____tellung, das Pa____wort,
im er____ten Stock, de____halb, bewu____t

26

Drei Wünsche frei! Was hätten Sie gern?

Ich hätte gern ein Haus mit einem Garten mit einem Baum mit einem Vogel mit ...

Ich hätte gern Gold, Geld und Glück.

Ich ...

27

Wann? Schreiben Sie einen Text über Ihren Tag.

seit   zwischen   um   ab   bis   nach   (nie) vor

Wochentags stehe ich _____ Uhr auf. Ich frühstücke _____.
Dann _____.
Aber am Wochenende schlafe ich _____.
Danach _____

28

Shopping – Glück oder Frust für Sie? Welcher Einkaufstyp sind Sie? Schreiben Sie eine Antwort im Forum.

Hallo Leute!
Immer dieses Shoppengehen! Meine Freunde lieben es – ich nicht.
Zum Schluss gebe ich immer mehr Geld aus, als ich will. Wie geht es euch?
Ich freue mich auf eure Antworten!
Eure Nina

Track 31

Konsonantenverbindungen [ts], [ks], [pf]. Hören Sie Beispiele.

Was gibt's denn mittags?
[ts]   [ks]

Ich empfehle Pizza,
[pf]   [ts]
Brezeln und Kekse.
[ts]   [ks]

  Track 32

Hören Sie die Wortpaare. Achten Sie auf die Unterschiede: [t – ts, s – ts], [k – ks, s – ks], [p – pf, f – pf].

[ts]: 1. nicht – nichts | 2. Nacht – nachts | 3. recht – rechts | 4. so – Zoo | 5. Kasse – Katze | 6. müssen – Mützen
[ks]: 1. Mittag – mittags | 2. Montag – montags | 3. Dienstag – dienstags | 4. du liest – du liegst | 5. alles – Alex | 6. Test – Text
[pf]: 1. Kopp – Kopf | 2. Töpper – Töpfer | 3. Kappel – Kapfel | 4. Hoffmann – Hopfmann | 5. Graffner – Grapfner | 6. Schiffler – Schipfler

  Track 33

Welches Wort hören Sie? Markieren Sie in 29b.

  Track 34

Hören Sie und sprechen Sie dann: Erst langsam, dann schnell.

[ts]: nich[t…s] – nichts | rech[t…s] – rechts | [t…s]oo – Zoo
[ks]: mitta[k…s] – mittags | monta[k…s] – montags | Ta[k…s]i – Taxi
[pf]: Ko[p…f] – Kopf | To[p…f] – Topf | A[p…f]el – Apfel

  Track 32

Hören Sie noch einmal die Wortpaare und sprechen Sie nach.

  Track 35

Hören Sie und markieren Sie [ts], [ks], [pf].

Magst du das? | eine Pizza ohne Salz | Zeitungen ohne Texte | ein Einkaufszentrum ohne Parkplätze | Geburtstage ohne Geburtstagskerzen | ein Konzert ohne Saxofon | Pflanzen ohne Töpfe | Kekse ohne Zucker | Apfelkuchen ohne Äpfel | Zähne ohne Zahnschmerzen

Hören Sie noch einmal und sprechen Sie nach.

  Track 36

Viele Konsonanten zusammen. Hören Sie die Wortpaare.

1. (er) kauft – (du) kaufst | 2. (er) schickt – (du) schickst | 3. (er) holt – (du) holst | 4. (er) kommt – (du) kommst | 5. (er) lernt – (du) lernst | 6. (er) schreibt – (du) schreibst | 7. (er) tauscht – (du) tauschst

  Track 37

Welches Wort hören Sie? Markieren Sie es in 30a.

  Track 36

Hören Sie die Wortpaare noch einmal und sprechen Sie nach.

  Track 38

Hören Sie die Wörter und ergänzen Sie die Buchstaben.

1. Bau *chschm* erzen

2. Ko ⬜⬜⬜⬜ erzen

3. Arbei ⬜⬜ immer

4. E ⬜⬜⬜⬜ uldigung

5. O ⬜⬜ alat

6. Praktiku ⬜⬜ atz

7. Gebu ⬜⬜ a ⬜⬜ arte

8. He ⬜ ichen Glü ⬜⬜ u ⬜⬜

31b

Hören Sie noch einmal und sprechen Sie deutlich nach.

 32   *Track 39*

Zungenbrecher: Hören Sie und sprechen Sie nach – erst langsam, dann schnell.

1. Zweiundzwanzig Zahnärzte aus Zeitz ziehen zehn Zähne.

2. Zwei deutsche Zeitschriften, zwei französische Zeitschriften, zwei chinesische Zeitschriften, …

3. Max, magst du Masken? Max, machst du Masken? Max möchte achtundachtzig Masken machen.

1

Bildwörterbuch

14 Gefühle und Kontakte

Nomen

das Gefühl, -e
der/die Fremde, -n
das Ehepaar, -e
die Distanz, -en
der Abstand, -ä-e
der Meter, - (m)
der Zentimeter, - (cm)
das Familienmitglied, -er
der Körperkontakt, -e
die Regel, -n
das Schulfach, -ä-er
der Film, -e
die Antwort, -en
das Gesundheitssystem, -e
das Team, -s
der Forscher, -/
die Forscherin, -nen

der Urlaub, -e
die Landsleute (nur Pl.)
die Prüfung, -en
der Werkzeugmechaniker, -/
die Werkzeugmechanikerin,
   -nen
der Raucher, -/
die Raucherin, -nen
der Nichtraucher, -/
die Nichtraucherin, -nen
das Haustier, -e
das Gesicht, -er
das Haar, -e
das Auge, -n
das Ohr, -en
die Nase, -n
der Mund, -ü-er
der Zahn, -ä-e

die Figur, -en
das Lachen (nur Sg.)
das Lächeln (nur Sg.)
der Arm, -e
das Bein, -e
der Fuß, -ü-e
die Hand, -ä-e
die Anzeige, -n
die Kontaktanzeige, -n
das Autorennen, -
das Erkennungszeichen, -
die Rose, -n
das Privatleben, -
die Situation, -en

2

Assoziationen

sich schämen

die Angst

Gefühle

3

Es anders sagen

1. Das ist mir peinlich.   Ich _____ mich.

2. Juhu!   _____ _____ _____ .

3. Mir gefällt es hier.   Ich _____ _____ wohl.

4. Danke!   Ich _____ _____ .

5. Wie blöd!   Ich _____ _____ .

6. Schnell!   Ich _____ _____ .

Verben

umarmen
ausmachen, macht aus
gehören
halten, hält
vertrauen
nahekommen, kommt nahe
ansprechen, spricht an
filmen
malen
entstehen
aufschreiben, schreibt auf
gestalten
erkennen
einsteigen, steigt ein
sich schämen
sich verhalten, verhält sich
sich freuen

sich ärgern
sich benehmen, benimmt sich
sich wohlfühlen, fühlt sich
    wohl
sich bedanken
sich beeilen
sich kennenlernen, lernt sich
    kennen
sich fühlen
sich unterhalten, unterhält sich
sich treffen, trifft sich

Adjektive

peinlich
angenehm
unangenehm
speziell
britisch

sauer
schlank
ehrlich
fern
unsicher
unbekannt
verliebt
intellektuell
professionell
witzig
modisch
nervös
dick

Pronomen

irgendetwas

Adverbien

wahrscheinlich
miteinander
ziemlich
neulich
mindestens
online

Wendungen

Das macht mir nichts aus.
Da geht es mir gut. /
Da geht es mir nicht gut.
Das ist mir peinlich.
Das ist mir unangenehm!
Achtung!

4

Wörter bauen
___

1. die Ehe + das Paar = _____

2. die Familie + das Mitglied = _____n_____

3. das Haus + das Tier = _____

4. _____ + _____ = der Körperkontakt

5. _____ + _____ = die Kontaktanzeige

6. _____ + _____ = das Autorennen

5

Wendungen
___

1. Das _____ mir _____ aus.

2. _____ geht _____ mir _____.

3. _____ ist _____ peinlich.

4. Das _____ mir _____.

6

Der Kopf
___

1. *die Haare* _____

2. _____

3. _____

4. _____

5. _____

6. _____

7 📄 *Seite 48-49 KB, 1-4* 🔊 *Track 40*

Hören Sie und kreuzen Sie an: Was ist richtig?

1. a. Ich habe im Bus gestanden. ☐
   b. Ich habe im Bus gesessen. ☐

   c. Die junge Frau war sehr nett. ☐
   d. Die junge Frau war unfreundlich. ☐

2. a. Ich spreche gern vor anderen Menschen. ☐
   b. Ich spreche nicht gern vor anderen Menschen. ☐

   c. Ich werde rot und das ist mir unangenehm. ☐
   d. Ich werde rot, aber das ist mir egal. ☐

3. a. Unsere Eltern küssen uns oft vor anderen Leuten. ☐
   b. Unsere Eltern küssen uns nur zu Hause. ☐

   c. Nur mein Bruder findet das peinlich. ☐
   d. Ich finde das auch peinlich. ☐

4. a. Wir umarmen immer unsere Gäste. ☐
   b. Wir umarmen nur gute Freunde. ☐

   c. Der Kollege hat sich gefreut. ☐
   d. Der Kollege hat sich nicht gefreut. ☐

8a

Ordnen Sie zu.

ihnen | mir | ihm | ihm | uns | dir | euch | ihr

ich – _____   es – _____

du – _____   wir – _____

er – _____   ihr – _____

sie – _____   sie – _____

8b

Ergänzen Sie die Personalpronomen im Dativ.

1. Entschuldigen Sie bitte, können Sie _____ helfen?

2. Siehst du den Hund dort? Schenk _____ die Wurst.

3. Die Frau hat dich etwas gefragt. Antworte _____ bitte.

4. Wir lieben Pizza. Sie schmeckt _____ immer.

5. Ihr seid meine Freunde. Ich gebe _____ einen Kuss.

8c

Schreiben Sie Sätze.

1. Meine Mutter war einkaufen und hatte kein Geld dabei.
   (sie: das – sehr peinlich sein)

   Das war ihr sehr peinlich.

2. Der Kollege hat einen Fehler gemacht. (er: es – unangenehm

   sein) _____

   _____

3. Wir haben keinen Wein mehr. (ihr: es – nichts ausmachen)
   Ich hoffe, _____

   _____

4. Unsere Freunde haben geheiratet. (sie: es – gut gehen)

   _____

   _____

9 📄 *Seite 49 KB, 3*

Lesen Sie den Text im Kursbuch noch einmal. Ergänzen Sie die Informationen und ordnen Sie sie den Bildern zu.

1. Distanz: mindestens _____

   näher dürfen nur: _____

   Länder: _____, _____, _____

2. typisch: _____ Körperkontakt

   Körperkontakt bedeutet: _____

   Länder: _____, _____, _____

*Seite 50 KB, **5-8***

Welche zwei Sätze passen zu welchem Bild? Schreiben Sie.

Er frühstückt. | Er steht auf. | Er wacht auf. | Er ist glücklich. | Die Sonne scheint. | Er ist noch müde. | Er gibt Saft in den Kaffee. | Er macht Fehler. | Er arbeitet. | Er trinkt Tee mit seiner Freundin.

1.    2.    3.    4.    5.

_____

_____

10b

Machen Sie jetzt einen Satz aus den zwei Sätzen.

1. *Beim Aufwachen scheint die Sonne.* _____

2. Beim _____

3. _____

4. _____

5. _____

11

Was ist wichtig? Schreiben Sie Sätze.

Man ist gesund. | Das Lehrbuch ist interessant. | Du passt gut auf. | Die Musik ist laut. | Man probiert die Kleider.

Musikhören: *Beim Musikhören ist wichtig, dass die Musik laut ist.*

Deutschlernen: _____

_____

Sportmachen: _____

_____

Autofahren: _____

_____

Kleiderkaufen: _____

_____

12a *Seite 50 KB, **6***

Im Text gibt es sechs Fehler. Vergleichen Sie mit dem Text im Kursbuch und markieren Sie die Fehler.

An vielen Schulen in D-A-CH gibt es das Projekt „Glück". Was lernen die Kinder da?

Zum Beispiel haben Lehrer und Lehrerinnen der Anne-Frank-Schule Menschen auf der Straße gefilmt und sie gefragt: „Was ist für Sie Glück?" Aus den Antworten haben sie einen interessanten Film gemacht. Sie haben auch ein Lied mit Glücks-Rezepten geschrieben. Jeder Schüler und jede Schülerin hat aufgeschrieben, was ihn oder sie glücklich macht. Beim Singen haben sie viel gelernt: „Ich kann mein Leben selbst gestalten", sagen die Schüler. „Man muss immer besser als die anderen sein, jeder kann nichts besonders gut. Beim Arbeiten miteinander, aber auch beim Spielen und Musikmachen kann man das erkennen."

12b

Schreiben Sie die richtigen Sätze.

1. An vielen Schulen in D-A-CH _____

_____

2. _____

3. _____

4. _____

5. _____

_____

13 *Seite 51 KB, **9-11***

Ergänzen Sie.

1. Ich freue _____, weil du gekommen bist.

2. Ich hoffe, du fühlst _____ wohl.

3. Mein Mann hat _____ geärgert, weil sein Chef nicht zufrieden war.

4. Meine Mutter hat _____ bedankt, weil ich ihr geholfen habe.

5. Wir haben _____ auf einer Party kennengelernt.

6. Ihr müsst _____ beeilen, der Bus fährt gleich.

7. Manche Touristen benehmen _____ schlecht.

14

Ordnen Sie die Pronomen.

~~sich~~ | mir | dich | dir | ihn | ihr | sich | es | ihm | sich | uns | uns | sie | euch | euch | mich | euch | Sie | dich | Ihnen | sich | mich | ihm | uns

Nominativ	Akkusativ	Dativ	reflexiv
ich			
du			
er			*sich*
sie			
es			
wir			
ihr			
Sie			

15a

Lesen Sie den Text und markieren Sie die reflexiven Verben.

Liebe Marie,

gestern war ich auf einer Party. Es war total cool. Ich habe mich toll unterhalten und mich sehr wohl-gefühlt. Ich habe viele Leute kennengelernt. Das hat mich natürlich sehr gefreut. Alle waren sehr freundlich zu mir. Ein Junge hat mir besonders gut gefallen. Und ja, wir treffen uns morgen. Ärgere dich nicht, weil du nicht auf der Party warst. Du lernst sicher auch bald jemanden kennen.

Liebe Grüße
Ella

15b

Vergleichen Sie mit dem Foto. Was stimmt nicht?

15c

Korrigieren Sie die Mail mit den Wörtern.

sich nicht gut unterhalten | sich nicht wohlfühlen | niemanden kennenlernen | sich nicht freuen | unfreundlich sein

Liebe Marie,
gestern war ich auf einer Party. Es war total langweilig. Ich habe _____

_____

_____

Ärgere _____ nicht, weil du nicht auf der Party warst. Du hast _____ gestern sicher besser unterhalten.

Liebe Grüße
Ella

16a *Seite 52–53 KB, 12–13*

Wie ist er / sie? Finden Sie das passende Wort.

1. Er versteht viel Spaß. Er ist ▢▢▢▢▢▢.

2. Sie und er machen gern Sport. Sie sind ▢▢▢▢▢▢▢▢▢.

3. Ihre Kleider, Schuhe, Taschen … sind immer ganz neu. Sie ist

   immer e ▢▢▢▢▢.

4. Alle finden ihn sympathisch. Er ist ▢▢▢.

5. Sie hat sehr oft gute Ideen. Sie ist ▢▢▢▢▢▢.

6. Sie macht lustige, witzige Dinge. Andere finden das manchmal

   komisch. Sie ist ein bisschen ▢▢▢▢▢▢▢.

 16b

Finden Sie das Gegenteil.

1. unsympathisch ↔ _____

2. schnell ↔ _____

3. schlank ↔ _____

4. angenehm ↔ _____

5. unsicher ↔ _____

6. nervös ↔ _____

7. langweilig ↔ _____

8. bekannt ↔ _____

9. nah ↔ _____

10. unprofessionell ↔ _____

17a

Luis' Profil. Ordnen Sie die Informationen zu.

Eishockey | Hunde | Informatiker | Beachvolleyball | schlank |
leben | Deutsch | ehrlich

_____, 34
_____, modisch
Wien
Figur: _____
Sport: _____
_____
Abitur, Studium
Sprachen: Spanisch (Muttersprache), _____
Raucher
Haustier: 2 süße _____
ledig; Kinder: ---
Das ist im Moment für mich wichtig: Das Leben _____!

17b

Was passt? Ergänzen Sie die Adjektive mit Endung.

süß | interessant | kurz | schön

1. _____ Augen! Zum Verlieben …

2. So _____ Haare sind einfach cool! Lange Haare

   gefallen mir nicht so gut.

3. Das sind wirklich _____ Hobbys! Meine sind

   ein bisschen langweilig.

4. So _____ Hunde! Die schauen so nett.

 17c

Wo fehlt ein Buchstabe? Ergänzen Sie.

Luis ist 34 Jahre alt ▢. Seine Haare sind schwarz ▢. So kurz ▢
Haare wie auf dem Foto sind toll ▢! Und in seinem Profil stehen
interessant ▢ Hobbys: Eishockey gefällt mir auch und ich finde
auch Beachvolleyball super ▢! Und Luis hat Haustiere – das
finde ich nett ▢. Zwei klein ▢ Hunde – die sind so süß ▢! Und er
hat kein ▢ Kinder, das finde ich auch gut ▢!

 18a

Welche Körperteile sind das? Schreiben Sie mit Artikel.

NHDA _____ 	 EUGA _____

AUBCH _____ 	 MAR _____

KÜENRC _____ 	 ECHSTIG _____

EINB _____ 	 SANE _____

ßFU _____ 	 DUMN _____

AAHR _____ 	 HAZN _____

 18b

Was passt zum Kopf, was zum Körper? Notieren Sie.

Zum Kopf: _____

_____

Zum Körper: _____

_____

 *Seite 54 KB, 14-16*

Was erzählen die Leute über sich? Lesen Sie.

Tina (33)
Von Beruf bin ich IT-Spezialistin. Ich schwimme gern und im Sommer fahre ich oft Rad. Ich mag auch Bücher (vor allem Krimis – aber sie müssen in Italien spielen!) und liebe Kino (Filme aus Frankreich und Amerika)! In meiner Firma arbeiten viele Leute aus Südeuropa und Südamerika. Internationale Kollegen sind super für die Atmosphäre im Büro! Meine Freunde kenne ich aber noch von der Schule ... ich habe leider wenig neue Freunde. Ich möchte aber gern neue Leute aus der ganzen Welt kennenlernen – sie müssen nett sein, das ist wichtig!

Jonathan (29)
Ich mag Sport – Sport ist mein Leben! Ich liebe den Schnee im Winter: Man kann viel Spaß in der Natur haben! Ich fahre Snowboard, Mountainbike oder jogge auch im Wald – das ist wunderbar! Farben sieht man da, so schön! Und im Sommer bin ich auch immer am See oder im Wald – meine Sportsachen habe ich immer im Auto. Dann gehe ich joggen, kurz mal schwimmen oder mache Nordic Walking. Ich denke, deshalb habe ich auch noch keine Freundin. Sie muss natürlich sportlich sein.

 19b

Was passt zu wem? Notieren Sie Tina (T), Jonathan (J) oder passt nicht (x). Ergänzen Sie auch die Endungen.

Er / Sie ...

1. findet in der Natur schön___ Farben.

2. mag italienisch___ Krimis.

3. sieht gern französisch___ Filme.

4. macht im Winter lustig___ Dinge.

5. mag alt___ Filme.

6. hat im Auto viel___ Sportsachen.

7. hat südamerikanisch___ Kollegen.

8. hat viele neu___ Freunde.

9. hat sportlich___ Freunde.

10. möchte nett___ Leute kennenlernen.

 19c

Was können Sie über Tina und Jonathan sagen?

1. Seine Haare sind kurz. — Er hat kurz___ Haare.

2. Ihre Zähne sind _____. — Sie hat weiß___ _____.

3. Seine Hobbys sind _____. — Er hat interessant___ _____.

4. Ihre Kollegen sind _____. — Sie hat international___ Kollegen.

5. Ihre Lieblingsfilme sind _____. — Sie mag italienisch___ Filme.

6. Seine Freundinnen müssen _____ sein. — Er möchte sportlich___ Freundinnen haben.

7. Die Farben in der Natur findet er _____. — Er mag toll___ Farben in der Natur.

 20

Eine Kontaktanzeige. Ergänzen Sie die Wörter.

interessante Hobbys | Genieß deine Zeit | kurze Haare | modische Jeans | Busfahrer | grüne Augen | alte Motorräder | lustige T-Shirts

Ich bin _____ von Beruf und habe viele _____. Was ich liebe? _____

_____. Was ich gern trage? _____. Wie ich aussehe?

Ich habe _____ und _____.

Mein Motto: _____!

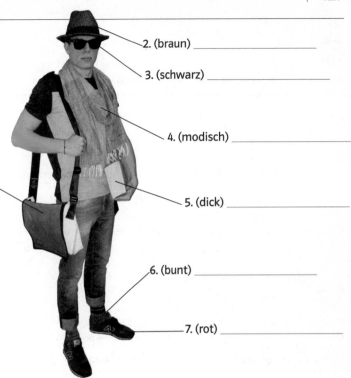

21a *Seite 55 KB, 17-19*

Welche Erkennungszeichen sind das? Notieren Sie.

2. (braun) _____

3. (schwarz) _____

4. (modisch) _____

5. (dick) _____

6. (bunt) _____

7. (rot) _____

1. *eine coole Tasche*

21b

Welche Erkennungszeichen hat der Mann? Beschreiben Sie.

Auf dem Kopf hat er einen braunen Hut, er trägt _____

Schuhe, unter dem Arm _____

_____

_____

21c

Schreiben Sie die Erkennungszeichen in die Tabelle. Markieren Sie, welche Endung im Nominativ und Akkusativ nicht gleich ist.

	Nominativ: Das sind …	Akkusativ: Er hat …
mask.	ein _____ Hut, ein _____ Schal,	einen _____ Hut, einen _____ Schal,
neutr.	ein _____ Buch,	ein _____ Buch,
fem.	eine _____ Tasche, eine _____ Sonnenbrille,	eine _____ Tasche, eine _____ Sonnenbrille,
Plural	_____ Socken und _____ Schuhe.	_____ Socken und _____ Schuhe.

22

Lesen Sie den Chat und ergänzen Sie die Endungen.

Tom Hilfe!!! Mein Date … Was nehme ich nur mit?

ein___ spannend___ Buch oder ein___ rot___ Rose? **Evi**

Tom Nee … :O Ein___ gelb___ Tasche oder rot___ Schuhe?
Ich muss interessant aussehen.

Interessant?? Das ist ein___ rot___ Rose immer! **Evi**
Oder ein___ braun___ Hut, der ist cool!

Tom Ein___ rot___ Rose findest du gut? Nee! Also den Hut.

Ok! Ein___ cool___ Hut haben nicht viel___ Leute … Viel Spaß!! **Evi**

23a *Track 41*

Hören Sie. Über wen sprechen die Leute? Ordnen Sie zu.

1 _____ 2 _____ 3 _____

23b

Lesen Sie und ergänzen Sie die Endungen.

1. So schön___ Augen! Und ein___ groß___ Hut hat er auf – echt lustig!
2. Sein Vater sieht auch voll nett aus! So schön___ , weiß___ Zähne – ein nett___ Lächeln hat der!
3. Na, der hat aber ein komisch___ Foto auf Facebook!
4. Der Typ hat braun___ Haare.
5. Sie hat einen türkisch___ Namen – interessant!
6. So eine sympathisch___ jung___ Frau!
7. Und eine schwarz___ Brille – die ist auch nicht gerade cool!
8. Einen toll___ Computer hat er!

23c

Hören Sie noch einmal kontrollieren Sie die Sätze. Ordnen Sie dann die Aussagen den Fotos zu.

24

Richtig schreiben: groß oder klein? Schreiben Sie die Sätze.

1. ichtanzesehrgern. beimtanzenvergesseichdenstress. _____

_____

2. beimsportmachenbinichglücklich. amwochenendemacheichimmersport. _____

_____

3. Kontaktanzeigeniminternetfindeichlangweilig. beimausgehenamsamstagabendlerneichimmernetteleutekennen. _____

_____

25

Wie geht es Ihnen? Formulieren Sie eigene Beispiele.

Meine Frau sagt mir im Auto, dass ich langsamer fahren muss:
Ich ärgere mich.

Mein Kind legt sich im Supermarkt auf den Boden und schreit:
Ich schäme mich.

Meine Mutter schenkt mir alte Fotos:
Ich freue mich.

Meine Familie organisiert eine Überraschungsgeburtstagsparty:
Ich fühle mich wohl.

_____ :

Meine Freunde ärgern _____ .

_____ :

Ich schäme mich.

_____

Meine Deutschlehrerin / Mein Deutschlehrer freut _____ .

_____ :

Ich fühle mich wohl.

26a

Wen suchen Sie? Kreuzen Sie an.

Eine Person …

☐ zum Reisen ☐ für Sport

☐ für Museumsbesuche ☐ zum Kochen

☐ zum Verlieben

26b

Ihr Profil. Schreiben Sie.

Alter: _____

Beruf: _____

Hobbys: _____

Kinder: _____

Haustiere: _____

Ich bin *Single* ☐ *ja* ☐ *nein*

Raucher ☐ *ja* ☐ *nein*

26c

Beschreiben Sie sich.

Ich bin _____ Jahre alt und _____ von Beruf. Ich _____ .

Ich möchte, dass er / sie _____

Meine Hobbys sind _____

Ich habe _____ und bin _____

Track 42

Stimmhafte und stimmlose S-Laute. Hören Sie das Beispiel.

Ein bisschen Reis und etwas Eis.

So super!

  Track 43

Hören Sie die Wortpaare. Achten Sie auf die S-Laute.

1. das Glas – die Gläser | 2. der Preis – die Preise | 3. das Haus – die Häuser | 4. die Maus – die Mäuse | 5. der Kurs – die Kurse

  Track 44

Hören Sie und üben Sie mit. Sprechen Sie so:

Stimmhafter S-Laut: so | sie | sein | Sohn
Stimmloser S-Laut: Eis | aus | Haus | Reis

  Track 43

Hören Sie noch einmal die Wortpaare und sprechen Sie nach.

  Track 45

Hören Sie die Wörter, lesen Sie mit und sprechen Sie nach.

SIEBEN DREIßIG GÄSTE PERSONEN KÜSSEN SINGEN HÄSSLICH ZUSAMMEN

Markieren Sie alle Wörter mit einem stimmhaften S-Laut. Wie heißt der Lösungssatz? Schreiben Sie und lesen Sie ihn laut.

  Track 46

Hören Sie und markieren Sie den stimmhaften und den stimmlosen S-Laut mit verschiedenen Farben.

So super | ein Sonntag im Sommer | eine fantastische Reise | ein Besuch bei den Großeltern | eine heiße Suppe | eine Tasse Tee | ein Glas Apfelsaft | ein Eis essen | ein Kissen auf dem Sofa | eine Insel im See

Hören Sie noch einmal und sprechen Sie nach.

Stimmhaft oder stimmlos? Markieren Sie.

	Sommer (am Wort- anfang)	heiß <ß>	Besuch (am Silben- anfang)	essen <ss>	Glas (am Wort- ende)
stimmhaft	x				
stimmlos					

  Track 47

Hören Sie die Wortpaare. Achten Sie auf S- und Sch-Laute.

1. Fleiß – Fleisch | 2. Tasse – Tasche | 3. Sohn – schon | 4. sieben – schieben | 5. seinen – scheinen

  Track 48

Welches Wort hören Sie? Markieren Sie.

  Track 47

Hören Sie noch einmal die Wortpaare und sprechen Sie nach.

  Track 49

Hören Sie und lesen Sie. Achten Sie auf S- und Sch-Laute.

Das ist so schön! | Das ist sehr schwer! | Das ist so schade! | Sehr komisch! | So schick! | Superschön!

Hören Sie noch einmal und sprechen Sie emotional nach.

  Track 50

Komplimente: Hören Sie. Brummen und lesen Sie mit.

Hm-hm-**HM**	Du bist **sch**ön.
Hm-hm-hm-**HM**	Du bist ver**rü**ckt.
Hm-hm-hm-hm-**HM**	Du hast viel Hu**mor**.
Hm-hm-hm-hm-**HM**-hm	Ich liebe dein **La**chen.
Hm-hm-hm-hm-hm-**HM**-hm	Du hast so schöne **Au**gen.

Hören Sie noch einmal und sprechen Sie emotional nach.

Suchen Sie noch mehr Komplimente zu den Rhythmusmustern.

1 Bildwörterbuch

15 Sport und Spiel

Nomen

das Spiel, -e
der Sportler, -/
die Sportlerin, -nen
das Publikum (nur Sg.)
der Preis, -e (Gewinn)
der Skiläufer, -/Skifahrer, -
die Skiläuferin, -nen/
Skifahrerin, -nen
der Sieg, -e
der Weltmeister, -/
die Weltmeisterin, -nen
der Titel, -
die Karriere, -n
der Spieler, -/
die Spielerin, -nen
die Olympiade, -n/
die Olympischen Spiele (nur Pl.)

die Nummer, -n
die Liste, -n
der Fußballer, -/
die Fußballerin, -nen
der Nationalspieler, -/
die Nationalspielerin, -nen
der Profi, -s
die Medaille, -n
der Abschluss, -ü-e
der Tagesablauf, -ä-e
die Sportart, -en
(der) Basketball (Sportart)
(der) Volleyball (Sportart)
die Mannschaft, -en
die Gruppe, -n
der Junge, -n
das Mädchen, -
der Trainer, -/

die Trainerin, -nen
der Läufer, -/die Läuferin, -nen
der Tänzer, -/die Tänzerin, -nen
der Boxer, -/die Boxerin, -nen
das Tor, -e
der Torwart, -e/
die Torwartin, -nen
der/das Kaugummi, -s
der Sportmuffel, -
der Chor, -ö-e
das Team, -s
der Spielplan, -ä-e
die Spielfigur, -en
der Würfel, -
die Spielkarte, -n
der Start, -s
das Spielfeld, -er
die Zeichnung, -en

2 Assoziationen

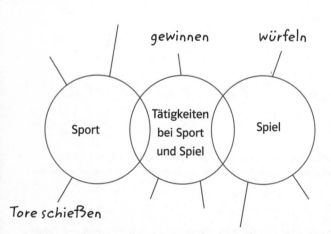

gewinnen

würfeln

Sport

Tätigkeiten bei Sport und Spiel

Spiel

Tore schießen

3 Frauen und Männer

die Skifahrerin ↔ der Skifahrer

_____ ↔ der Spieler

_____ ↔ der Läufer

_____ ↔ der Sportler

_____ ↔ der Fußballer

_____ ↔ der Weltmeister

_____ ↔ der Sieger

_____ ↔ der Täter

das Element, -e	boxen	**Adjektive**	**Kleine Wörter**
das Gegenteil, -e	turnen	erfolgreich	das erste Mal,
der Täter, - / die Täterin, -nen	sollen	häufig	das zweite Mal, …
das Opfer, -	schießen	olympisch	einmal, zweimal
die Erklärung, -en	zubinden, bindet zu	unvergesslich	keine / keiner
die Spannung (nur Sg.)	sich aufwärmen, wärmt sich auf	klar	jeder(mann)
der Frust (nur Sg.)	sich duschen	musikalisch	genauso (wie)
die Sorge, -n	sich anziehen, zieht sich an	begeistert	wenn
das Gedicht, -e	atmen	begabt	vorbei
die Strophe, -n	mischen	sicher	draußen
	würfeln	empfehlenswert	
Verben	raten, rät	aktiv	**Wendungen**
wählen	nennen	grafisch	Sportler des Jahres /
beenden	erreichen	wunderschön	Sportlerin des Jahres
gewinnen	anfassen, fasst an	ideal	Spiel des Jahres
sich freuen über + Akk	beweisen	unmöglich	So geht's.
interessieren	garantieren	bestimmt	Lasst uns beginnen!
rennen	verlieren		Alles ist Mist!

4

Kombinationen

Ski | Welt | Fußball | Figur | Spiel | Trainer | Meister | Mannschaft | Läufer | Olympia | Spieler | Basketball | Volleyball | Karte | Sieger

Skiläufer,

_____

_____

_____

5

Beispiele

Publikum: *begeistert,* _____

Profi: _____

Medaille: _____

Mannschaft: _____

Trainer: _____

Spiel: _____

Seite 60-61 KB, 1-2

Wer ist besser? Ergänzen Sie.

1. Rosi ist *gut*, Lena ist _besser als Rosi._

2. Rosi ist *schnell*, Lena ist _____ *als* Rosi.

   Rosi ist also _____ *als* Lena. (langsam)

3. Lena ist *groß*, Rosi ist _____.

   Lena ist also _____ *als* Rosi. (klein)

6b

Wer ist genauso gut?

1. Rosi ist *gut*, Olga ist _genauso gut wie Rosi_.

   Lena ist _besser als Rosi und Olga_.

2. Olga ist *schnell*, Rosi ist _____ *wie* Olga.

   Lena ist _____ *als* Olga und Rosi.

3. Lena ist *groß*, Olga ist _____.

   Rosi ist _____.

6c

Wer ist am besten? Schreiben Sie.

1. Rosi ist *gut*. Lena ist _____.

   Ulla ist *am besten*.

2. Olga ist *schnell*. Lena ist _____.

   Ulla ist _____.

3. Lena ist *groß*. Rosi ist _____.

   Ulla ist _____.

7

Sportler des Jahres. Ergänzen Sie Komparativ und Superlativ.

1. Maria Höfl-Riesch ist _____ als andere Ski-

fahrerinnen. Sie ist *am* _____. (groß)

Maria Höfl-Riesch hatte viele Erfolge, sie ist _____

als die meisten Skifahrerinnen. Bei den Olympischen Spielen

war sie _____. (erfolgreich)

2. Roger Federer hat den Preis „Schweizer Sportler des Jahres"

sechsmal bekommen, _____ als andere Sportler.

Er gewann den Preis _____. (häufig)

Für Roger Federer ist Tennis _____ als andere Sa-

chen, aber _____ ist ihm seine Familie. (wichtig)

3. David Alaba ist _____ als viele seiner

Fußball-Kollegen. Als „Sportler des Jahres" ist er (in diesem Jahr)

_____. (jung)

David Alaba ist in München _____ als in ande-

ren Städten. In Österreich ist er _____. (bekannt)

8

Schlagzeilen: Ergänzen Sie.

Hoch, _____, am höchsten!

Fantastischer Sieg für Stabhochspringer

_____, begabter, _____!

Nachwuchstalent ausgezeichnet

_____, am meisten!

Er ist Torschützenkönig!

_____, am weitesten!

Weltrekord im Weitsprung

Gut, _____!

3x Weltmeister, 3x Olympiasieger

Seite 62 KB, 3-4

Markieren Sie die Adjektive im Text.

Die Mannschaft.

Das ist unsere Mannschaft, wir sind lustige Kinder und spielen gern Fußball. Rechts stehen Damian und Martin. Martin ist der blonde Junge, er ist ein schneller Spieler. Damian ist der große Junge, er ist ein guter Läufer. Vorn sind Erik, Leyla, Paul und Roman. Leyla ist das nette Mädchen, sie ist eine fantastische Fußballspielerin. Paul ist der kleine

Junge, er ist ein guter Torwart. Erik und Roman sind die neuen Kinder im Team, sie sind sympathische Sport-

ler. Links sind Guido und Thomas. Guido ist der große Junge, er ist ein begabter Spieler. Thomas ist der lustige Junge, er ist ein toller Fußballer. Und auch der große Bruder von Erik ist ein aktiver Sportler. Wir sind eine tolle Mannschaft. Die beiden freundlichen Trainer sind nicht auf dem Bild, aber auch sie sind ein erfolgreiches Team. Die fußballbegeisterte Mannschaft ist einfach klasse!

9b

Schreiben Sie die Adjektive und Nomen in die Tabellen.

ein	
eine	
--- (Pl.)	lustige Kinder,

der	blonde Junge,
das	
die	
die (Pl.)	

10 *Track 51*

Wer ist wer? Hören und verbinden Sie.

1. Die schöne Frau ist
2. Der kleine Mann ist
3. Das nette Kind ist
4. Die alten Herren sind
5. Der junge Mann ist
6. Das große Mädchen ist
7. Die aktiven Rentner sind
8. Die engagierte Trainerin ist

a. ein erfolgreicher Boxer.
b. eine tolle Basketballspielerin.
c. eine schnelle Schwimmerin.
d. eine bekannte Tennisspielerin.
e. gute Fahrradfahrer.
f. ein guter Tänzer.
g. ein richtiger Sportmuffel.
h. gute Fußballspieler.

11

Sportliche Leute. Schreiben Sie fünf Sätze.

Das freundliche Mädchen ist eine aktive Fahrradfahrerin.

Beim Training: Hören Sie und ordnen Sie die Anweisungen.

_____ _____ _____

_____ _____ *1* *sich die Schuhe zubinden*

Hören Sie noch einmal und schreiben Sie die Verben im Infinitiv.

12c

Was sollen die Kinder tun? Formulieren Sie Sätze mit sollen.

1. Die Kinder *sollen sich die Schuhe zubinden.*

2. Sie sollen _____

3. Sie sollen nicht _____

4. _____

5. _____

6. _____

7. _____

Wer soll was?

Ich _____ öfter trainieren. Du _____ weniger Sport machen. Er/Sie _____ gewinnen.

Wir _____ aufs Tor schießen. Ihr _____ fair spielen. Sie _____ mehr Sport machen.

Sport ist gefährlich! Schreiben Sie den Text um: Was sollen Sportmuffel tun?

Sport ist gefährlich! – Sie wollen keine Schmerzen? Sie wollen keine Gefahr? Dann haben wir Tipps für Sie. Bleiben Sie zu Hause! Setzen Sie sich aufs Sofa und sehen Sie fern. Bleiben Sie im Bett, schlafen Sie viel! Gehen Sie nicht aus dem Haus! Machen Sie einfach nichts! Treffen Sie keine anderen Menschen, kontaktieren Sie Familie, Freunde und Bekannte via Internet!

Wir sollen zu Hause bleiben. Wir sollen

uns aufs _____ und wir

_____

_____

_____

_____

_____

_____

Sport muss sein! Schreiben Sie einen Gegentext mit den Verben.

viel bewegen | nach draußen gehen | aktiv sein | mit Freunden Sport machen | häufig zum Training gehen | Fahrrad fahren | zu Fuß gehen …

Seite 64-65 KB, 8

Ergänzen Sie die Spielanleitung.

Spielfigur (2x) | Felder (2x) | Karte | Ziel | Team | Spiel | Viel Glück! | Würfel | Feld | raten | Spielfiguren | an der Reihe | mischen | Spieler

Man braucht:
Stifte und Papier, eine Stoppuhr (Mobiltelefon), pro Gruppe eine *Spielfigur* und einen _____.

So geht's:
4 – 5 _____ pro Gruppe. _____ Sie die Karten und stellen Sie die _____ auf „Start". Ein Team beginnt und würfelt: 1 und 4 = 1 _____ vor, 2 und 5 = 2 _____ vor; 3 und 6 = 3 _____ vor. Ein Spieler nimmt die erste _____ und erklärt, malt

oder spielt das Wort vor. Das _____ muss das Wort in 60 Sekunden _____.

Wenn das Team das Wort rät, dann kann die _____ auf dem Feld stehen bleiben.
Wenn das Team das Wort nicht rät, dann muss die Spielfigur ein Feld zurück.
Danach ist das nächste Team _____. Wenn ein Team das _____ erreicht hat, ist das _____ vorbei.

_____

17

Rätsel. Was ist gemeint?

1. Wenn bei einem Fußballspiel jemand den Ball mit den Händen wirft, dann ist das wahrscheinlich der *Torwart*.
2. Wenn mehrere Menschen zusammen in einem Team Fußball spielen, dann sind sie eine _____ .
3. Wenn man den 1. Platz gewinnt, dann bekommt man eine _____ .
4. Wenn man mit Sport sein Geld verdient, dann ist man ein _____ .
5. Wenn das Publikum in einem Fußballstadion laut ist, dann hat es bestimmt ein _____ gegeben.

18a

Wenn ..., dann ...: Was passt? Verbinden Sie die Satzteile.

1. Wenn es warm ist,
2. Wenn ich mit Freunden ausgehe,
3. Wenn ich in die Berge fahre,
4. Wenn ich im Winter Urlaub mache,
5. Wenn ich viel arbeite,

a. dann gehe ich am liebsten Ski fahren.
b. dann habe ich keine Zeit für Sport.
c. dann gehe ich gern im Meer schwimmen.
d. dann gehe ich gern klettern.
e. dann gehen wir tanzen.

18b

Markieren Sie die Verben in Übung 18a.

19

Bilden Sie Sätze mit wenn ..., dann ...

1. Ich habe frei. Ich spiele Tennis.   *Wenn ich frei habe, dann spiele ich Tennis.*

2. Ich wache früh auf. Ich mache Yoga.   _____

3. Ich mache Sport. Ich esse kein Kaugummi.   _____

4. Ich trainiere viel. Ich gewinne einen Preis.   _____

5. Ich kann nicht schlafen. Ich gehe joggen.   _____

 *Seite 66 KB, 10*

Lesen Sie den Text und markieren Sie alle Adjektive.

> ## Spiel des Jahres
>
> Die witzigen Zeichnungen und die wunderschönen grafischen Elemente verdienen den ersten Preis.
> Der junge Zeichner hatte die schöne Idee.
> Wenn man den tollen Spielplan sieht, dann muss man das neue Spiel einfach haben.
> Man spielt selbst den bösen Täter oder das arme Opfer.
> Das spannende Spiel ist ideal für den großen und den kleinen Krimifan.
> Die bekannte Jury hat die lustigen Spiele ausgewählt.

 20b

Ergänzen Sie die Tabelle mit den Adjektiven und Nomen.

	Nominativ		Akkusativ
der		den	*ersten Preis,*
das		das	
die		die	
die (Pl.)	*witzigen Zeichnungen,*	die (Pl.)	

 21a

Lesen Sie den Text und markieren Sie alle Adjektive.

> Welches Spiel gewinnt? Spielen ist der größte Spaß. Der Verein „Spiel des Jahres" wählt die besten Spiele aus. Es gibt Preise für den tollsten Spielplan, für die lustigste Spielidee, für das spannendste Spiel ...

 21b

Ergänzen Sie die Tabelle.

	Nominativ	
der	große Spaß tolle Spielplan	*größte Spaß*
das	spannende Spiel	
die	lustige Spielidee	
die (Pl.)	guten Spiele	

	Akkusativ	
den	großen Spaß, tollen Spielplan	*größten Spaß*
das	spannende Spiel	
die	lustige Spielidee	
die (Pl.)	guten Spiele	

 22a

Das spannendste Spiel: Ergänzen Sie die Adjektive.

kleinen | meiste | arme | bösen | großen | guten

Preis für die *meiste* Spannung: Einen _____ Krimi kann man lesen, aber nicht spielen? Dieses Spiel beweist das Gegenteil: Man spielt selbst den _____ Täter oder das _____ Opfer. Echt spannend! Das Spiel für alle _____ und _____ Krimifans.

 22b

Der beste Krimi: Schreiben Sie den Text mit Superlativen.

Den *besten* Krimi kann man lesen, aber nicht spielen? Dieses Spiel beweist das Gegenteil: Man spielt selbst den _____ Täter oder das _____ Opfer. Das Spiel für die _____ und _____ Krimifans.

 23

Das beste Spiel ist am spannendsten! Formulieren Sie um.

1. Das Spiel ist am besten. Es ist das *beste* Spiel.
2. Das Spiel ist am spannendsten. Es ist das _____ste Spiel.
3. Das Spiel ist am empfehlenswertesten.
   Es ist das _____ Spiel.
4. Das Spiel ist am tollsten. _____.
5. Das Spiel ist am aktivsten. _____.
6. Der Spielplan ist am schönsten. Es ist der _____.
7. Die Spielidee ist am lustigsten. _____ die _____.

 *Seite 67 KB, 11*

Rätsel: Finden Sie 11 Wörter.

W	V	E	H	G	O	E	R	K	L	Ä	R	E	N
F	E	L	D	A	N	M	S	I	W	P	J	M	E
I	R	F	B	C	E	Y	P	O	V	S	Z	I	A
G	L	S	U	K	L	M	I	S	C	H	E	N	K
U	I	T	K	A	R	T	E	G	H	S	I	T	L
R	E	R	D	U	B	F	L	A	Z	X	C	I	G
A	R	G	W	Ü	R	F	E	L	N	T	H	F	D
G	E	W	I	N	N	E	N	D	Q	U	N	Z	O
O	N	D	S	A	P	I	C	A	S	J	E	R	B
F	P	A	N	T	O	M	I	M	E	B	N	A	F

Adjektiv-Puzzle: Beschreiben Sie Ihr Lieblingsspiel.

lustig

kommunikativ

spannend

fröhlich   -en

schön   -e

gut   -sten

groß   -ste

bunt

Spielplan | Spielidee | Spielerklärung | Spielfigur | Spielkarten | Atmosphäre | ...

Mein Lieblingsspiel heißt _____

Ich mag _____

_____

_____

Mir gefällt auch _____

_____

_____

Was passiert dann? Ergänzen Sie.

Wenn der Bus pünktlich kommt, dann _____

Wenn die Sonne scheint, dann _____

Wenn das neue Jahr beginnt, dann _____

Wenn alles wunderbar ist, dann _____

Wenn die Arbeit Spaß macht, dann _____

Wenn _____

Wenn _____

27

Richtig schreiben: Ergänzen Sie sp – st – sch.

Sechs hüb___e ___ortler essen ___nitzel und ___okolade und ___reiben lu___ige Po___karten nach ___ottland.

Sechstausend Men___en ___auen ein ___annendes ___iel in einem ___adion in ___weden.

Mitten in ___uttgart ___ehen ___icke Ta___en, ___öne ___uhe und ___rümpfe bei Sonnen___ein im ___nee.

28

Schreiben Sie selbst einen Satz mit sp – st – sch.

29

Schreiben Sie ein Gedicht für Ihren Mann, Ihre Frau, Ihr Kind, …

In Wirklichkeit

In Wirklichkeit bist du
viel schöner als der schönste Mensch
viel lustiger als der lustigste Mensch
viel freundlicher als der freundlichste Mensch
viel besser als der beste Mensch.

30

Wann sind Sie am …? Schreiben Sie 5 Sätze.

Wann sind Sie am freundlichsten? – Wenn ich öfter _____, dann bin ich am freundlichsten.

Wann sind Sie am lustigsten? – Wenn ich _____, dann _____.

Wann sind Sie am fröhlichsten, am schnellsten, am besten, am glücklichsten, …?

31

Interessieren Sie sich für Sport? Schreiben Sie einen Text.

am besten / sympathischsten / längsten / …

Radfahren
Skifahren
…ball
Joggen
Trainieren

Mich interessiert …
Ich finde … toll / spannend / langweilig / …
Ich kann …
Ich spiele …

32a Track 53

Sch-Laute. Hören Sie die Beispiele.

Fantasti**sch**!   **Sp**ortlich!   **St**ark!   **Sch**ön!

   32b Track 54

Hören Sie und üben Sie mit. Sprechen Sie so:

schick | schon | Schal | Schuh | schnell

  33a Track 55

Hören Sie die Familiennamen. Achten Sie auf S- und Sch-Laute.

1. Fissler – Fischler | 2. Sulze – Schulze | 3. Seidel – Scheidel |
4. Busse – Busche | 5. Reiser – Reischer | 6. Gossel – Goschel

  33b Track 56

Welchen Namen hören Sie? Markieren Sie in 33a.

  33c Track 55

Hören Sie noch einmal die Wortpaare und sprechen Sie nach.

34a Track 57

st mit oder ohne Sch-Laut? Hören Sie und kreuzen Sie an.

	mit	ohne		mit	ohne
1. be**st**ellen	☐	☐	5. ge**st**ern	☐	☐
2. am be**st**en	☐	☐	6. ge**st**resst	☐	☐
3. auf**st**ehen	☐	☐	7. ver**st**ehen	☐	☐
4. au**st**auschen	☐	☐	8. zuer**st**	☐	☐

34b

Hören Sie noch einmal und sprechen Sie nach.

  35a Track 58

Hören Sie. Wo hören Sie den Sch-Laut? Markieren Sie.

fantastische Menschen | hübsche Fußballspieler | sportliche Studentinnen | schöne Schwestern | romantische Schauspieler | sympathische Schüler | starke Schwimmerinnen | typische Spezialisten

35b

Hören Sie noch einmal und sprechen Sie nach.

 36a

Zungenbrecher. Welches Wort fehlt? Ergänzen Sie.

Studienfächer | Spiele | schnell | Spanisch
1. Sportliche Sportler spielen spannende   .
2. Starke Studenten studieren stressige   .
3. Schwere Schiffe schwimmen   .
4. Spanische Schauspieler sprechen   .

  36b Track 59

Hören Sie die Zungenbrecher und sprechen Sie nach.

  37a Track 60

Wortgruppen zusammen sprechen. Hören Sie ein Beispiel.

Wenn das Spiel zu **En**de ist,/dann räumen wir **auf**.

  37b Track 61

Hören Sie und üben Sie mit. Sprechen Sie die Wörter ohne Pause.

1. Wenn du gehst … | Wenn du nach Hause kommst … | Wenn du mich liebst … | Wenn du mit mir sprichst …
2. … dann bin ich traurig | … dann bin ich froh | … dann bin ich glücklich | … dann bin ich zufrieden
3. Wenn du gehst, | dann bin ich traurig.
   Wenn du nach Hause kommst, | dann bin ich froh.
   Wenn du mich liebst, | dann bin ich glücklich.
   Wenn du mit mir sprichst, | dann bin ich zufrieden.

 38a

Lebensweisheiten. Was passt zusammen? Verbinden Sie.

1. Wenn du einen traurigen Menschen siehst, …
2. Wenn dein Glück geht, …
3. Wenn man eine gute Antwort haben will, …
4. Wenn andere über dich lachen, …
5. Wenn am Ende noch nicht alles gut ist, …

a. dann geh einfach mit.
b. dann muss man auch richtig fragen.
c. dann ist es noch nicht das Ende.
d. dann schenke ihm ein Lächeln.
e. dann lach doch einfach mit.

  38b Track 62

Hören Sie. Markieren Sie im betonten Wort die betonte Silbe.

 38c

Hören Sie noch einmal und sprechen Sie nach.

11

3 Musikinstrumente: die Flöte, das Saxofon, die Gitarre, der Bass, das Schlagzeug, das Klavier; Musikstile: der Hip-Hop, der Rock, der Pop; Musik ist: leise, rhythmisch, schön, fröhlich, traurig

4 einen Pass beantragen, eine Ausbildung abschließen, Deutsch üben, in ein Land flüchten

5 1. Was für ein Instrument spielst du / spielen Sie? 2. Was für einen Musikstil magst du / mögen Sie gerne? / Was für Musik magst du / mögen Sie gerne? 3. Was für einen Beruf hat er?

7 2. ein Klavier, 3. ein Schlagzeug, 4. eine Gitarre, 5. ein Saxofon, 6. einen Bass

8 2. Klassik, 3. Jazz, 4. Hip-Hop, 5. Pop

9 leise, unmodern / altmodisch, langsam, traurig, langweilig / blöd, rhythmisch

10 2. einen, 3. ein, 4. ein, 5. eine

11a 1d, 2g, 3b, 4f, 6a, 7e

11b Carlo Waibel, Cro, Stuttgart, 1990, Musiker, Raop = Rap und Pop zusammen, Klavier und Gitarre, Pandabär

12 e, b, h, d, j, c, a, f, k

13a 1b, 2a, 3c

13b Weil die Musik rhythmisch und einfach gut ist. Weil die Stimme das Instrument ist. Weil Hip-Hop beliebt ist.

14 1. Das ist Cro, weil er eine Maske trägt. 2. Das ist Tobias, weil Teee sein Künstlername ist. 3. Das ist Tobias, weil das sein Beruf ist. 4. Das ist Cro, weil er es kann. 5. Das ist Cro, weil das seine Idee war.

15 2. weil schon 1990 Hip-Hop aus Stuttgart in ganz Deutschland beliebt war. 3. weil man Stuttgarter Hip-Hop oft im Radio hört. 4. weil viele Hip-Hop-Bands aus Stuttgart kommen. 5. weil es jedes Jahr ein Hip-Hop-Festival in Stuttgart gibt.

16 1a, 3d, 4e, 5b

17 Deutsch mit Hip-Hop ist lustig, weil alle in Bewegung sind. Das geht sehr gut, weil es Reime im Song gibt. Ich spreche jetzt gern Deutsch, weil mein Akzent jetzt gut ist.

18 1. Mein Bruder lernt Deutsch, weil er deutschen Fußball mag. 2. Ich spreche Deutsch, weil meine Eltern aus der Schweiz kommen. 3. Mein Mann versteht Deutsch, weil er als Kind fünf Jahre in Deutschland war. 4. Ihr Freund lernt Deutsch, weil er in Graz arbeitet. 5. Ich höre deutsche Songs, weil die Sprache schön ist.

19 1. Briefkasten, 2. Helm, 3. Zaun, 4. Müll, 5. Hecke, 6. Stern; Lösungswort: Blumen

20 1. habe – studiert, 2. habe – telefoniert, haben – geschaut, haben – diskutiert, hat – irritiert, haben – geschaut, hat – gemacht, 3. ist – passiert, habe – geschrieben, habe – gesucht

21a Partizip ge____en: gegessen, gegangen, getrunken, gekommen; Partizip ge ____t/et: geübt, getanzt, geflüchtet, gereist, gehört, gewohnt, geliebt, gearbeitet, gewusst; Partizip _____t: trainiert, akzeptiert, passiert, organisiert

21b 1. ist – gegangen, hat – studiert, hat – gearbeitet, 2. hat – getrunken, hat – gewusst, 3. ist – gefahren, hat – organisiert, 4. hat – gewohnt, hat – gegessen, hat – geliebt, 5. ist – gegangen, hat – gehört – getanzt / gelacht

22a 2e, 3b, 4f, 5g, 6d, 7a

22b 1. Pass, 2. Ausbildung, 3. Saisonarbeiter, 4. Au-pair, 5. Zuwanderer, 6. Krieg, 7. Austauschprogramme

23 *zum Beispiel:* 2. Lieke studiert nicht Medizin, sie studiert Pharmazie. 3. Ela hat keine Ausbildung im Hotel gemacht, sie arbeitet im Sommer im Hotel. 4. Sami hat nicht Asyl beantragt, weil er in Deutschland arbeiten möchte, sondern weil in seinem Land Krieg ist. 5. José ist von Beruf nicht Journalist, er ist Informatiker. 6. Kathie arbeitet nicht als Au-pair, sie studiert Medizin in Freiburg.

24 Partizip _____en: bekommen, verstanden; Partizip _____t: bestellt, besucht, bezahlt, erzählt, erlebt, verbessert, verdient

25 Zuerst habe ich einen Pass beantragt. Dann habe ich ein Ticket im Reisebüro bestellt, (habe) es bezahlt und dann bin ich nach Deutschland geflogen. Dort habe ich meine Schwester in Düsseldorf besucht. Ich habe Deutsch gelernt und ich habe die Sprache gut verstanden. Ich habe Arbeit im Hotel bekommen. Ich habe am 1. April begonnen.

26a Name, Wohnort, Telefon, E-Mail, Familienstand, Staatsangehörigkeit, Geburtsdatum und Geburtsort, Berufserfahrung, Ausbildung / Studium, Sprachen

26b 1. am 25.03.1988, 2. Sportmanagement, 3. 2012, 4. am 12.10.2014, 5. eine Ausbildung als Fitnesstrainerin, 6. drei Sprachen, 7. bei Sportschuh

27a untrennbar: besucht, verdient, verliebt, erzählt; trennbar: angenommen, umgezogen, angefangen

27b bin – umgezogen, habe – verdient, habe – angefangen, habe – abgeschlossen, verliebt, haben – bekommen, habe – angenommen, haben – besucht, haben – erzählt

31d 1. Ei, 2. aus, 3. heiß, 4. laut, 5. euch

31f heiß, blau, heute

33b fotografieren, Foto, Fotograf, Fotoapparat; organisieren, organisiert, Organisation, Organisationen; studieren, Student, Studentin, Studium; telefonieren, telefonierst, Telefon, Telefonnummer (rosa markierte Buchstaben bitte mit Unterpunkt)

12

3 der Parkplatz, die Autorin, der Experte, der Arbeitsplatz / das Büro

4 unpraktisch, unordentlich, frei / voll, unbequem, breit, neu / jung

5 wichtig / gut / interessant / …, finde, bin – Meinung

6 habe – gelegt, stellen, hängen – es

7 schwer, hektisch, pünktlich, glücklich

8 1. das Geschäft, 2. die Straße, 3. das Hochhaus, 4. die Bank, 5. der Verkehr, 6. der Fluss, 7. die Uhr, 8. die Bücher, 9. die Großstadt; Lösungswort: Frankfurt

9 chaotisch, ordentlich, gemütlich, langweilig, ruhig

10 1. oben, unten, 2. links, rechts, 3. in der Mitte, 4. hinten, vorne

11 oben, unten, in der Mitte, hinten; vorne, vorne, hinten, unten

12 B, D, C, A

13a 1. falsch, 2. richtig, 3. richtig, 4. falsch, 5. falsch

13b 1. Ich bin der Meinung, dass Kinder viel Platz brauchen. 2. Ich finde, dass Bänke auf einem Platz wichtig sind / auf einem Platz Bänke wichtig sind. 3. Ich möchte, dass Menschen mit ihrer Stadt zufrieden sind / Menschen zufrieden mit ihrer Stadt sind. 4. Ich denke, dass es in den Städten zu viele Autos gibt / dass es zu viele Autos in den Städten gibt.

14a 3, 1, 4, 2

14b 1. Die Geschäftsleute haben Angst, dass sie dann nicht mehr so gut verdienen. 2. Herr Müller denkt, dass die Leute gern mit dem Auto bis zum Geschäft fahren. 3. Er denkt auch, dass Einkaufen für viele ein Hobby ist. 4. Sie hoffen, dass sie eine Lösung finden.

15 1. Weißt du, dass es in Deutschland 2061 Städte gibt? 2. Weißt du, dass ca. 75 % der Deutschen in einer Stadt leben?

16a 2. modern, 3. praktisch, 4. stabil, 5. gemütlich

16b 1. Die Bank ist bequem. 2. Der Brunnen ist modern. 3. Das Wartehäuschen ist praktisch. 4. Der Abfallkorb ist stabil. 5. Das Gartenlokal ist gemütlich.

16c Platz 1: groß, modern, Brunnen; Platz 2: Brunnen, Gartenlokal, gemütlich

17a   schöner, alt, moderner, breit, mehr, lieber, besser

17b   2. Der Rock ist älter als die Hose. 3. Hip-Hop ist moderner als Jazz. 4. Mein Vater isst mehr als mein Onkel. 5. Ich gehe lieber ins Kino als ins Theater. 6. Vanilleeis schmeckt besser als Schokoladeneis.

17c   1. schöner, 2. hübscher, 3. lieber, 4. besser, 5. mehr, 6. interessanter

18   1C, 2A, 3B

19a   die Brille, der Kuli, das Smartphone, der Zettel, die Stifte, der Laptop, der Radiergummi, die Tasse, der Kalender

19b   *zum Beispiel:* Neben dem Laptop liegen ein Smartphone und zwei Kulis. Hinter dem Smartphone liegt eine Brille. Vor dem Smartphone liegt ein Zettel. Vor dem Laptop liegt ein Kalender. Rechts neben dem Kalender steht eine Tasse. Hinter der Tasse und rechts neben dem Laptop liegt ein Radiergummi. Ganz hinten sieht man Stifte.

20a   *zum Beispiel:* Im Wohnzimmer kann man oft ein Sofa, Stühle, einen Schrank, Fotos, ein Regal, Bücher, einen Fernseher, ein Radio, einen Tisch, eine Lampe, Pflanzen, ein Fenster, eine Tür und einen Teppich sehen.
Im Schlafzimmer kann man einen Schrank, ein Bett, einen Fernseher, ein Radio, Lampen, ein Fenster, eine Tür und einen Teppich sehen.
Im Arbeitszimmer gibt es oft einen Stuhl, einen Schreibtisch, einen Schrank, Regale, Pflanzen, eine Lampe, Bücher, ein Fenster und eine Tür.
Im Badezimmer / Im Bad gibt es einen Schrank, ein Radio, eine Badewanne, eine Dusche, eine Lampe, ein Fenster, eine Tür und einen Teppich.

20b   *zum Beispiel:* Im Wohnzimmer sind meistens keine Dusche, keine Badewanne, kein Bett und kein Schreibtisch.
Im Schlafzimmer sind meistens keine Pflanzen, keine Dusche, kein Badewanne und kein Schreibtisch.
Im Arbeitszimmer sind meistens kein Bett, keine Dusche, keine Badewanne, kein Radio und kein Fernseher.

21   3. Leg die Kissen und Decken auf das Sofa / auf das Bett / in den Schrank. 4. Stell Kerzen in die Wohnung! 5. Stell die Schuhe in den Schrank / vor die Tür! Häng Fotos und Bilder in das Wohnzimmer / an die Wand!

22a   in, ins, in, Zwischen, im, im, an, vor dem, neben dem

22b   im, auf dem, auf der, neben dem, vor dem

23   Der Künstler Ursus Wehrli ist **in der Schweiz** geboren. Von Beruf ist er Komiker, Schauspieler und er schreibt auch **Bücher**. Für sein Projekt „Kunst aufräumen" nimmt er Bilder von Kandinsky, Matisse, Joan Miró, Mondrian, Klee usw. und **ordnet** sie neu. Für „Aufräumen im Alltag" ordnet er **Autos** nach Farben auf einem Parkplatz, eine Buchstaben- suppe usw.

25   1. Größen, kleiner; *zum Beispiel:* Der Hund ganz rechts ist am größten. Die beiden Hunde ganz links sind gleich groß. Sie sind kleiner als die anderen Hunde. Sie sind am kleinsten.
2. *zum Beispiel:* Oben links sehe ich die Fahne von Japan. Oben rechts sehe ich die Fahne von Deutschland. Rechts unten ist die Fahne von Frankreich. Unten ist die Fahne von Kanada und links ist die Fahne von Großbritannien.
3. Farben; *zum Beispiel:* Die Kleidung links ist gelb und grün. Die Klei- dung rechts ist rot. In der Mitte hängt ein T-Shirt. Das ist auch rot.

26a + b   A: Schau mal, **das** Bett da. **Das** ist doch wunderschön! B: Ich finde auch, **dass das** Bett ganz schön ist, aber **das** da hinten finde ich schöner. A: **Das** finde ich nicht. Ich bin der Meinung, **dass das** Bett hier gemütlicher ist. B: **Das** ist richtig, aber **das** andere Bett passt besser in mein Schlafzimmer. A: **Das** musst du entscheiden. Ich hoffe, **dass** du **das** richtige Bett findest.

27a   moderner, ist größer, mein Auto ist schneller, ist – aber meine Familie ist netter

27b   gesünder, pünktlicher, sympathischer, jünger, hübscher, wichtiger, …

29c   1. halt, 2. her, 3. ihr, 4. heiß, 5. und, 6. Halle, 7. Ecke, 8. Ende

31b   1. im Mai, 2. viel enger, 3. Berlin erleben, 4. Wiener Leben, 5. mit ihr

33c   1. Mann, 2. Bonge, 3. Renger, 4. Sinner

34a   2. Engel, 3. Ordnung, 4. Anfang, 5. Schinken, 6. langsam, 7. langweilig, 8. danke, 9. Dinge

13

2   *zum Beispiel:* der: Kiosk, Buchladen, Elektroladen, Schreibwarenladen, Schuhladen, Friseur, Online-Shop; das: Haushaltswarengeschäft, Spiel- zeuggeschäft; die: Apotheke, Drogerie, Bäckerei, Bank

4   hätte gern eine, gefällt mir – nehme; bar – mit Karte; zahle bar / mit Karte

5   einen Brief schicken, Geld überweisen / schicken, einen Betrag über- weisen / ändern, eine Information ändern / löschen, ein Formular aus- füllen / ändern / schicken, einen Artikel empfehlen / schicken / löschen (online), ein Produkt empfehlen / schicken, Datei ändern / löschen / schicken

6a   1. Elektroladen, 2. Schuhladen: *Beispiel:* Ich hätte gern ein Paar Schuhe. 3. Schreibwarenladen: *Beispiel:* Ich hätte gern einen Brief- umschlag / Stift. 4. Buchladen: *Beispiel:* Ich hätte gern ein Buch / eine Zeitschrift. 5. Haushaltswarengeschäft: *Beispiel:* Ich hätte gern einen Topf / eine Pfanne.

6b   Bäckerei, Kiosk, Optiker, Drogerie, Apotheke

7a   Hemd, Topf, Seife, Parfüm, Briefumschlag, Briefmarke, Aufzug

7b   Briefumschlag, eine Briefmarke, ein Parfüm; ein Hemd, einen Topf, eine Seife, den Aufzug

8   Aufzug, Post, Optiker, Tablette, Herren, Elektroladen, Kiosk, Erdge- schoss; Lösungswort: die Apotheke

9a   1. Dieser, 2. Welche – Diese, 3. Welches – Dieses, 4. Welche (Pl.) – Diese (Pl.)

9b   1. Welchen – diesen, 2. Welches – dieses, 3. Welche – diese, 4. Welche (Pl.) – diese (Pl.)

10   1. Kann ich Ihnen helfen? 2. Welche gefällt Ihnen denn? 3. Die kostet 56 Euro. 4. Und wie ist diese? Die ist im Angebot für 31 Euro. 5. Haben Sie noch einen Wunsch? 6. Zahlen Sie bar oder mit Karte?

11   Dialog 1
2. Ich weiß noch nicht. 3. Wie finden Sie diese? Die haben wir neu. 4. Ja, die passen mir. Sie sind elegant und passen auch gut zu meinem Anzug. Diese Schuhe hätte ich gern. 5. Zahlen Sie bar oder mit Karte?

Dialog 2
2. Ja, gern. Ich brauche einen Topf. Sie haben so viele. 3. Ja, aber schau- en Sie mal! Dieser ist im Angebot. Gefällt Ihnen der? 4. Hm, kann ich mal sehen? Ja. Der ist schön groß. Den nehme ich. 5. Gern. Haben Sie noch einen Wunsch? 6. Nein danke, ich zahle gleich. Kann ich mit Karte zahlen?

12a   1. Mode, vergleiche, egal; 2. Einkaufsliste, Geschäft; 3. bewusst, ökolo- gisch

12b   2. Deshalb vergleicht sie nie die Preise. 3. Deshalb kauft er nur, was er braucht. 4. Deshalb geht es schnell im Geschäft. 5. Deshalb kauft sie sehr bewusst ein. 6. Deshalb kauft sie nur im Bioladen ein.

13   1. Deshalb gibt sie viel Geld aus. 2. Deshalb schreibt er Einkaufslisten. 3. Deshalb vergleicht er die Preise. 4. Deshalb kauft er immer sehr bewusst ein.

14   *Beispiele:* 1. Ich mag keinen Stress. Deshalb bin ich immer pünktlich. 2. Ich mag kein Chaos. Deshalb ist mein Schreibtisch immer ordentlich. 3. Ich brauche Ordnung. Deshalb muss ich aufräumen.

15   seit, Ab, Zwischen, Nach, vor

16   Seit, nach, Vor, bis, zwischen, nach

17   1. Nach, 2. Nach, 3. Ab, 4. Zwischen, 5. Seit, 6. Vor, 7. Nach

18   2. Der Verkäufer löscht Dateien. 3. Der Kunde überweist Geld. 4. Der Kunde gibt das Passwort ein. 5. Der Kunde füllt Formulare aus. 6. Der

Verkäufer schickt Pakete. 7. Der Verkäufer und der Kunde schreiben Mails.

19 ändern, schicken, löschen, hochladen, ausfüllen, überweisen

20 2. Füllt das Formular aus! 3. Überweist die Beträge! 4. Gebt das Passwort ein! 5. Löscht den / die Artikel!

21a Lad(e) Gäste ein! Kauf(e) Getränke ein! Informier(e) die Nachbarn! Hol(e) Freunde vom Zug ab!

21b Beantragen Sie den Urlaub! Packen Sie die Sachen ein! Fahren Sie los! Fotografieren Sie viel!

22a 1. Online-Shop, -artikel, Ohrringe, empfiehlst, Versand, Grüße; 2. freut mich, empfehle, Schick, Versand, Paket, Gruß; 3. prima, klar, Betrag, danke dir

22

Position 1	Verb	Dativ	Akkusativ
Ich	überweise	dir	das Paar in Grün.
	Schick	mir	deine Adresse!
Ich	überweise	dir	den Betrag.

Verkaufst	du	mir	die Ohrringe in Blau?
Überweist	du	mir	das Geld?

23a 1. Die Künstlerin verkauft ihre Bilder in der Ausstellung. 2. Verkaufen Sie mir ein Bild? 3. Der Kunde überweist der Verkäuferin das Geld. 4. Der Mann schenkt seiner Tochter ein Bild.

24 Kann ich Ihnen helfen? Ich nehme den Pullover in Rot, die Hose in Grün, die Socken in Blau, den Schal in Rosa, die Ohrringe in Schwarz. Ich mag es heute bunt. Zahlen Sie bar oder mit Karte?

25 der Versand, die Post, die Kasse, der Kasten, der Gruß, die Grüße, der Ausgang, die Ausstellung, das Passwort, im ersten Stock, deshalb, bewusst

29c [ts]: 1. nichts, 2. Nacht, 3. rechts, 4. Zoo, 5. Kasse, 6. Mützen; [ks]: 1. Mittag, 2. montags, 3. Dienstag, 4. du liegst, 5. alles, 6. Text; [pf]: 1. Kopf, 2.Töpper, 3. Kapfel, 4. Hoffmann, 5. Grapfner, 6. Schiffler

29f Magst du das? eine Pizza ohne Salz, Zeitungen ohne Texte, ein Einkaufszentrum ohne Parkplätze, Geburtstage ohne Geburtstagskerzen, ein Konzert ohne Saxofon, Pflanzen ohne Töpfe, Kekse ohne Zucker, Apfelkuchen ohne Äpfel, Zähne ohne Zahnschmerzen

30b 1. kauft, 2. schickst, 3. holst, 4. kommt, 5. lernst, 6. schreibst, 7. tauscht

31a 1. Bau**chschm**erzen, 2. Ko**pfschm**erzen, 3. Arbei**ts**zimmer, 4. **Entsch**uldigung, 5. O**bst**salat, 6. Praktiku**msp**latz, 7. Gebur**tstagsk**arte, 8. Herzlichen Glü**ckwu**ns**ch

14

3 1. Ich schäme mich. 2. Ich freue mich. 3. Ich fühle mich wohl. 4. Ich bedanke mich. 5. Ich ärgere mich. 6. Ich beeile mich.

4 1. das Ehepaar, 2. das Familienmitglied, 3. das Haustier, 4. der Körper, der Kontakt, 5. der Kontakt, die Anzeige, 6. das Auto, das Rennen

5 1. macht – nichts; 2. Da – es – gut; 3. Das – mir; 4. ist – unangenehm

6 2. das Auge, 3. die Nase, 4. das Ohr, 5. die Zähne, 6. der Mund

7 1. a, c; 2. b, c; 3. a, d; 4. a, d

8a mir, dir, ihm, ihr, ihm, uns, euch, ihnen

8b 1. mir, 2. ihm, 3. ihr, 4. uns, 5. euch

8c 2. Es ist ihm unangenehm. 3. Ich hoffe, es macht euch nichts aus. 4. Es geht ihnen gut.

9 1. Foto 2: ein Meter; Familienangehörige und Freunde; USA, Kanada, Länder in Nordeuropa; 2. Foto 1: viel; Ich vertraue dir; Frankreich, Italien, Russland

10a 1. Er wacht auf. Die Sonne scheint. 2. Er steht auf. Er ist noch müde. 3. Er frühstückt. Er gibt Saft in den Kaffee. 4. Er arbeitet. Er macht Fehler. 5. Er trinkt Tee mit seiner Freundin. Er ist glücklich.

10b 2. Beim Aufstehen ist er noch müde. 3. Beim Frühstücken / Frühstück gibt er Saft in den Kaffee. 4. Beim Arbeiten / Bei der Arbeit macht er Fehler. 5. Beim Teetrinken mit seiner Freundin ist er glücklich.

11 Beim Deutschlernen ist wichtig, dass das Lehrbuch interessant ist. Beim Sportmachen ist wichtig, dass man gesund ist. Beim Autofahren ist wichtig, dass du gut aufpasst. Beim Kleiderkaufen ist wichtig, dass man die Kleider probiert.

12a+b 1. … gibt es das **Fach** „Glück". 2. Zum Beispiel haben die **Schüler** der Anne-Frank-Schule Menschen auf der Straße gefilmt …; 3. Sie haben auch ein **Buch** mit Glücks-Rezepten geschrieben. 4. Beim **Schreiben** haben sie viel gelernt. 5. Man muss **nicht** immer besser als die anderen sein, jeder kann **irgendetwas** besonders gut.

13 1. mich, 2. dich, 3. sich, 4. sich, 5. uns, 6. euch, 7. sich

14 ich: mich – mir – mich; du: dich – dir – dich; er: ihn – ihm; sie: sie – ihr – sich; es: es – ihm – sich; wir: uns – uns – uns; ihr: euch – euch – euch; sie: Sie – Ihnen – sich

15a Ich habe mich toll unterhalten und mich sehr wohlgefühlt. Das hat mich natürlich sehr gefreut. Ärgere dich nicht, weil du nicht auf der Party warst.

15b+c Ich habe mich nicht gut unterhalten und mich nicht wohlgefühlt. Ich habe niemanden kennengelernt. Das hat mich nicht gefreut. Alle waren unfreundlich zu mir. Ärgere dich nicht, weil du nicht auf der Party warst. Du hast dich gestern sicher besser unterhalten.

16a 1. lustig, 2. sportlich, 3. elegant, 4. nett, 5. kreativ, 6. verrückt

16b 1. sympathisch, 2. langsam, 3. dick, 4. unangenehm, 5. sicher, 6. ruhig, 7. interessant, 8. unbekannt, 9. fern / weit weg, 10. professionell

17a Informatiker, ehrlich, schlank, Eishockey – Beachvolleyball, Deutsch, Hunde, leben

17b 1. Schöne, 2. kurze, 3. interessante, 4. süße

17c alt, schwarz, kurze, toll, interessante, super, nett, kleine, süß, keine, gut

18a die Hand, der Bauch, der Rücken, das Bein, der Fuß, das Haar, das Auge, der Arm, das Gesicht, die Nase, der Mund, der Zahn

18b Zum Kopf: Haar, Auge, Gesicht, Nase, Mund, Zahn; Zum Körper: Hand, Bauch, Rücken, Bein, Fuß, Arm

19b 1. J, schöne; 2. T, italienische; 3. T, französische; 4. J, lustige; 5. x, alte; 6. J, viele; 7. T, südamerikanische; 8. x, neue; 9. J, sportliche; 10. T, nette

19c 1. kurze, 2. weiß – weiße Zähne, 3. interessant – interessante Hobbys, 4. international – internationale, 5. italienisch – italienische, 6. sportlich – sportliche 7. toll – tolle

20a Busfahrer – interessante Hobbys, Alte Motorräder, Modische Jeans und lustige T-Shirts, kurze Haare – grüne Augen, Genieß deine Zeit

21a 2. ein brauner Hut, 3. eine schwarze Sonnenbrille, 4. ein modischer Schal, 5. ein dickes Buch, 6. bunte Socken, 7. rote Schuhe

21b rote – hat er ein dickes Buch, er trägt eine schwarze Sonnenbrille, einen modischen Schal und bunte Socken.

21c Nominativ: ein brauner Hut, ein modischer Schal, ein dickes Buch, eine coole Tasche, eine schwarze Sonnenbrille, bunte Socken, rote Schuhe; Akkusativ: einen braunen Hut, einen modischen Schal, ein dickes Buch, eine coole Tasche, eine schwarze Sonnenbrille, bunte Socken, rote Schuhe

22 ein spannendes – eine rote, Eine gelbe – rote, eine rote – ein brauner, Eine rote, Einen coolen – viele

23a Foto 1: Text 5, 6; Foto 2: Text 1, 2; Foto 3: Text 3, 4

23b 1. schöne – einen großen, 2. schöne – weiße – nettes, 3. komisches, 4. braune, 5. türkischen, 6. sympathische – junge, 7. schwarze, 8. tollen

23c 1. Foto 2; 2. Foto 2; 3. Foto 3; 4. Foto 3; 5. Foto 1; 6. Foto 1; 7. Foto 3; 8. Foto 3

24 1. Ich tanze sehr gern. Beim Tanzen vergesse ich den Stress. 2. Beim Sportmachen bin ich glücklich. Am Wochenende mache ich immer Sport. 3. Kontaktanzeigen im Internet finde ich langweilig. Beim Ausgehen am Samstagabend lerne ich immer nette Leute kennen.

27f Sieben Personen singen zusammen.

27g So super, ein Sonntag im Sommer, eine fantastische Reise, ein Besuch bei den Großeltern, eine heiße Suppe, eine Tasse Tee, ein Glas Apfelsaft, ein Eis essen, ein Kissen auf dem Sofa, eine Insel im See

27i

	Sommer (am Wortanfang)	heiß \<ß\>	Besuch (am Silbenanfang)	essen \<ss\>	Glas (am Wortende)
stimmhaft	x		x		
stimmlos		x		x	x

28b 1. Fleiß, 2. Tasse, 3. Sohn, 4. sieben, 5. scheinen

15

3 die Spielerin, die Läuferin, die Sportlerin, die Fußballerin, die Weltmeisterin, die Siegerin, die Täterin

4 *zum Beispiel:* Weltmeister, Fußballspieler, Spielkarte, Spielfigur, Basketballtrainer, Weltmeister, Volleyballmannschaft, Olympiasieger

5 *zum Beispiel:* Publikum: aktiv; Profi: erfolgreich, begabt; Medaille: olympisch, wunderschön; Mannschaft: ideal, aktiv; Trainer: begabt, bestimmt; Spiel: erfolgreich, unvergesslich

6a 2. schneller, langsamer, 3. größer als Lena, kleiner

6b 2. genauso schnell, schneller, 3. genauso groß wie Lena, größer als Lena und Olga

6c 1. besser, 2. schneller, am schnellsten, 3. größer, am größten

7 1. größer, am größten, erfolgreicher, am erfolgreichsten, 2. häufiger, am häufigsten, wichtiger, am wichtigsten, 3. jünger, am jüngsten, bekannter, am bekanntesten

8 höher; begabt, am begabtesten; Viel, mehr; Weit, weiter; besser, am besten

9a lustige, blonde, schneller, große, guter, nette, fantastische, kleine, guter, neuen, sympathische, große, begabter, lustige, toller, große, aktiver, tolle, freundlichen, erfolgreiches, fußballbegeisterte, (klasse)

9b **ein:** schneller Spieler, guter Läufer, guter Torwart, begabter Spieler, toller Fußballer, aktiver Sportler, erfolgreiches Team; **eine:** fantastische Fußballspielerin, tolle Mannschaft; **--- (Pl.):** sympathische Sportler

der: blonde Junge, große Junge, kleine Junge, große Junge, lustige Junge, große Bruder; **das:** nette Mädchen; **die:** fußballbegeisterte Mannschaft; **die (Pl.):** neuen Kinder, freundlichen Trainer

10 2f, 3g, 4h, 5a, 6b, 7e, 8c

12a+b 2. aufs Tor schießen, 3. nicht aufs Spielfeld laufen, 4. Wasser trinken, 5. kein Kaugummi essen, 6. sich anziehen, 7. den Ball spielen

12c 2. … aufs Tor schießen. 3. … aufs Spielfeld laufen. 4. Sie sollen Wasser trinken. 5. Sie sollen kein Kaugummi essen. 6. Sie sollen sich anziehen. 7. Sie sollen den Ball spielen.

13 soll, sollst, soll, sollen, sollt, sollen

14 Wir sollen uns aufs Sofa setzen und fernsehen. Wir sollen im Bett bleiben und viel schlafen. Wir sollen nicht aus dem Haus gehen. Wir sollen einfach nichts machen. Wir sollen keine anderen Menschen treffen und Familie, Freunde und Bekannte via Internet kontaktieren.

16 Würfel, Spieler, Mischen, Spielfiguren, Feld, Felder, Felder, Karte, Team, raten, Spielfigur, an der Reihe, Ziel, Spiel, Viel Glück!

17 2. Mannschaft, 3. Medaille, 4. Profi, 5. Tor

18a 1c, 2e, 4a, 5b

18b 1. ist, 2. ausgehe, 3. fahre, 4. mache, 5. arbeite; a. gehe … Ski fahren, b. habe, c. gehe … schwimmen, d. gehe … klettern, e. gehen … tanzen

19 2. Wenn ich früh aufwache, dann mache ich Yoga. 3. Wenn ich Sport mache, dann esse ich kein Kaugummi. 4. Wenn ich viel trainiere, dann gewinne ich einen Preis. 5. Wenn ich nicht schlafen kann, dann gehe ich joggen.

20a witzigen, wunderschönen, grafischen, ersten, junge, schöne, tollen, neue, bösen, arme, spannende, ideal, großen, kleinen, bekannte, lustigen

20b

	Nominativ		Akkusativ
der	junge Zeichner	den	tollen Spielplan, bösen Täter, großen und kleinen Krimifan
das	spannende Spiel	das	neue Spiel, arme Opfer
die	bekannte Jury	die	schöne Idee
die (Pl.)	witzigen Zeichnungen, wunderschönen grafischen Elemente	die (Pl.)	lustigen Spiele

21a größte, besten, tollsten, lustigste, spannendste

21b

	Nominativ			Akkusativ	
der	große Spaß tolle Spielplan	größte Spaß tollste Spielplan	den	großen Spaß tollen Spielplan	größten Spaß tollsten Spielplan
das	spannende Spiel	spannendste Spiel	das	spannende Spiel	spannendste Spiel
die	lustige Spielidee	lustigste Spielidee	die	lustige Spielidee	lustigste Spielidee
die (Pl.)	guten Spiele	besten Spiele	die (Pl.)	guten Spiele	besten Spiele

22a guten, bösen, arme, großen, kleinen

22b bösesten, ärmste, größten, kleinsten

23 2. spannendste, 3. empfehlenswerteste, 4. Es ist das tollste Spiel. 5. Es ist das aktivste Spiel. 6. … schönste Spielplan. 7. Es ist … lustigste Spielidee.

24 erklären, Feld, mischen, Karte, würfeln, gewinnen, Pantomime, Figur, verlieren, spielen, zeichnen

27 Sechs hübsche Sportler essen Schnitzel und Schokolade und schreiben lustige Postkarten nach Schottland.
Sechstausend Menschen schauen ein spannendes Spiel in einem Stadion in Schweden.
Mitten in Stuttgart stehen schicke Taschen, schöne Schuhe und Strümpfe bei Sonnenschein im Schnee.

33b 1. Fischler, 2. Schulze, 3. Seidel, 4. Busche, 5. Reiser, 6. Goschel

34a mit Sch-Laut: 1, 3, 6, 7; ohne Sch-Laut: 2, 4, 5, 8

35a fantastische Menschen, hübsche Fußballspieler, sportliche Studentinnen, schöne Schwestern, romantische Schauspieler, sympathische Schüler, starke Schwimmerinnen, typische Spezialisten

36a 1. Spiele, 2. Studienfächer, 3. schnell, 4. Spanisch

38a 1d, 2a, 3b, 4e, 5c

38b 1. Menschen – Lächeln, 2. geht – mit, 3. Antwort – fragen, 4. lachen – mit, 5. gut – Ende

Bildquellennachweis

U1 Corbis (Inmagine Asia), Berlin; **10.1** Fotolia.com (INFINITY), New York; **10.2** Thinkstock (Aleksander Kaczmarek), München; **10.3** Shutterstock (Viorel Sima), New York; **10.4** Thinkstock (michaeljung), München; **10.5** Thinkstock (ahavelaar), München; **12.1** Thinkstock (james steidl), München; **12.2** Klett-Archiv (LinguaPlus), Stuttgart; **12.3** Thinkstock (miflippo), München; **12.4** Klett-Archiv (LinguaPlus), Stuttgart; **12.5** iStockphoto (RyanJLane), Calgary, Alberta; **12.6** Shutterstock (Tomislav Pinter), New York; **12.7** Dreamstime.com (Ivansmuk), Brentwood, TN; **12.8** Klett-Archiv (LinguaPlus), Stuttgart; **12.9** Shutterstock (n7atal7i), New York; **12.10** Fotolia.com (Andrey Kiselev), New York; **12.11** Klett-Archiv (LinguaPlus), Stuttgart; **13.1** Klett-Archiv (LinguaPlus), Stuttgart; **13.2** Klett-Archiv (LinguaPlus), Stuttgart; **13.3** Klett-Archiv (Lingua-Plus), Stuttgart; **13.4** Klett-Archiv (LinguaPlus), Stuttgart; **14.1** Klett-Archiv (LinguaPlus), Stuttgart; **14.2** Popakademie Baden-Württemberg; **14.3** Fotolia.com (Alexander Erdbeer), New York; **15.1** Klett-Archiv (LinguaPlus), Stuttgart; **15.2** offizielles Logo des Goethe-Instituts; **16.1** Shutterstock (Jon Bilous), New York; **16.2** Shutterstock (Roger de Montfort), New York; **16.3** Shutterstock (foamfoto), New York; **16.4** Shutterstock (NatUlrich), New York; **16.5** Thinkstock (manfredxy), München; **16.6** Klett-Archiv (Angelika Lundquist-Mog), Stuttgart; **16.7** Klett-Archiv (Angelika Lundquist-Mog), Stuttgart; **17.1** Thinkstock (moodboard), München; **17.2** Shutterstock (Tobias Arhelger), New York; **17.3** Deutsche Bahn AG; **17.4** Thinkstock (xyno), München; **17.5** Fotolia.com (Carola Vahldiek), New York; **18.1** Shutterstock (Ivonne Wierink), New York; **18.2** iStockphoto (UygarGeographic), Calgary, Alberta; **18.3** Shutterstock (Juriah Mosin), New York; **18.4** Shutterstock (Samuel Borges Photography), New York; **18.5** Thinkstock (Tracy Whiteside), München; **18.6** Shutterstock (Laurin Rinder), New York; **19.1** Klett-Archiv (LinguaPLus), Stuttgart; **19.2** Fotolia.com (Artalis), New York; **19.3** Klett-Archiv (Angelika Lundquist-Mog), Stuttgart; **19.4** Neu-Ulmer Zeitung; **19.5** Shutterstock (kaarsten), New York; **22** Klett-Archiv (Andreas Kunz), Stuttgart; **24.1** Wikimedia Commons (Gerald Senarclens de Grancy); **24.2** ddp images (ESKQ), Hamburg; **25.1** © Luftbild Karlsruhe, Heiko Breckwoldt; **25.2** Fotolia.com (werbefoto-burger.ch), New York; **25.3** Thinkstock (photomorgana), München; **25.4** Shutterstock (K3S), New York; **25.5** Shutterstock (Deymos.HR), New York; **26.1** iStockphoto (sack), Calgary, Alberta; **26.2** Fotolia.com (grafxart), New York; **26.3** Klett-Archiv (R. Weber), Stuttgart; **26.4** iStockphoto (Nikada), Calgary, Alberta; **26.5** Fotolia.com (markus_marb), New York; **26.6** Thinkstock (olesiabilkei), München; **27.1** Klett-Archiv (E. Schwarz), Stuttgart; **27.2** Klett-Archiv (E. Schwarz), Stuttgart; **27.3** Klett-Archiv (E. Schwarz), Stuttgart; **27.4** Klett-Archiv (E. Schwarz), Stuttgart; **27.5** Klett-Archiv (E. Schwarz), Stuttgart; **27.6** Klett-Archiv (E. Schwarz), Stuttgart; **27.7** Klett-Archiv (E. Schwarz), Stuttgart; **27.8** Klett-Archiv (E. Schwarz), Stuttgart; **28.1** Klett-Archiv (A. Kunz), Stuttgart; **28.2** Klett-Archiv (A. Kunz), Stuttgart; **29.1** Klett-Archiv (A. Kunz), Stuttgart; **29.2** Klett-Archiv (A. Kunz), Stuttgart; **31.1** © 2011 KEIN & ABER AG, Zürich - Berlin; **31.2** © 2004 KEIN & ABER AG, Zürich - Berlin; **34** Kauf Dich Glücklich, Hamburg; **36.1** Thinkstock (Lalouetto), München; **36.2** Shutterstock (Africa Studio), New York; **36.3** Shutterstock (Nuttapong), New York; **36.4** Thinkstock (Tatiana Nizovtseva), München; **36.5** iStockphoto (sinankocaslan), Calgary, Alberta; **36.6** Thinkstock (ppart), München; **36.7** iStockphoto (Ugurhan Betin), Calgary, Alberta; **37.1** Thinkstock (Zeljko Bozic), München; **37.2** Thinkstock (magehub88), München; **37.3** Thinkstock (Andy Crawford), München; **37.4** Shutterstock (wiedzma), New York; **37.5** Thinkstock (manu10319), München; **37.6** Shutterstock (Coprid), New York; **37.7** Fotolia.com (M. Schuppich), New York; **37.8** Thinkstock (ksevgi), München; **38.1** Thinkstock (GrishaL), München; **38.2** Thinkstock (ppart), München; **38.3** Thinkstock (Tatiana Nizovtseva), München; **38.4** Shutterstock (Alexey Boldin), New York; **40.1** Carsten Fleck; **40.2** Carsten Fleck; **41.1** Carsten Fleck; **41.2** Carsten Fleck; **41.3** Carsten Fleck; **41.4** Carsten Fleck; **42.1** über DaWanda.com; **42.2** über DaWanda.com; **42.3** über DaWanda.com; **46** Thinkstock (florin1961), München; **48.1** Shutterstock (Air Images), New York; **48.2** iStockphoto (Nico_Campo), Calgary, Alberta; **48.3** iStockphoto (Mark Bowden), Calgary, Alberta; **48.4** Thinkstock (Ryan McVay), München; **49.1** Fotolia.com (pixmatu), New York; **49.2** iStockphoto (Steve Debenport), Calgary, Alberta; **49.3** Fotolia.com (mozZz), New York; **49.4** iStockphoto (Yuri_Arcurs), New York; **49.5** Fotolia.com (pixmatu), New York; **49.6** iStockphoto (cynoclub), Calgary, Alberta; **49.7** Fotolia.com (Gennadiy Poznyakov), New York; **49.8** Fotolia.com (mozZz), New York; **49.9** Fotolia.com (pixmatu), New York; **49.10** Fotolia.com (mozZz), New York; **49.11** Fotolia.com (pixmatu), New York; **49.12** Fotolia.com (pixmatu), New York; **50.1** iStockphoto (gradyreese), Calgary, Alberta; **50.2** Thinkstock (NADOFOTOS), München; **50.3** Shutterstock (stockyimages), New York; **50.4** Thinkstock (gmast3r), München; **50.5** picture-alliance (Globus Infografik), Frankfurt; **51.1** iStockphoto (skynesher), Calgary, Alberta; **51.2** Shutterstock (OlegD), New York; **51.3** iStockphoto (nyul), Calgary, Alberta; **51.4** iStockphoto (neirfy), Calgary, Alberta; **51.5** Klett-Archiv (Renate Weber), Stuttgart; **52** Bigstock.com (seenad), New York; **53** Fotolia.com (Daniel Ernst), New York; **55** Shutterstock (Mny-Jhee), New York; **58** Fotolia.com (olegmalyshev), New York; **60.1** Dreamstime.com (Zairbek Mansurov), Brentwood, TN; **60.2** Shutterstock (Fingerhut), New York; **60.3** Shutterstock (Martynova Anna), New York; **61.1** Shutterstock (Monkey Business Images), New York; **61.2** Shutterstock (muzsy), New York; **61.3** Shutterstock (Dima Fadeev), New York; **61.4** Thinkstock (LuckyBusiness), München; **61.5** iStockphoto (technotr), Calgary, Alberta; **61.6** Shutterstock (stockyimages), New York; **62.1** Fotolia.com (Artalis), New York; **62.2** Said Chtaiki, Jugend-Trainer, FfB Marburg (Said Chtaiki, Trainer F-Jugend, VfB Marburg), Marburg; **62.3** Shutterstock (mexrix), New York; **64** Spiel des Jahres e. V., www.spiel-des-jahres.com; **66.1** Spiel des Jahres e. V., www.spiel-des-jahres.com; **66.2** Shutterstock (Filip Fuxa), New York; **67.1** Shutterstock (DanielW), New York; **67.2** Shutterstock (In Tune), New York; **67.3** iStockphoto (edenexposed), Calgary, Alberta; **67.4** Thinkstock (wolf____), München; **67.5** iStockphoto (olaser), Calgary, Alberta; **70.1** Shutterstock (majeczka), New York; **70.2** Fotolia.com (Schwoab), New York; **71.1** Fotolia.com (grafikplusfoto), New York; **71.2** Shutterstock (Werner Heiber), New York; **71.3** Shutterstock (Svilen Georgiev), New York; **71.4** Thinkstock (Dario Lo Presti), München; **71.5** Thinkstock (pterwort), München; **71.6** Thinkstock (ulson), München; **71.7** Dreamstime.com (Peter Lovás), Brentwood, TN; **71.8** Dreamstime.com (Astrid Gast), Brentwood, TN; **71.9** Shutterstock (Dan Breckwoldt), New York; **72.1** Klett-Archiv, Stuttgart; **72.2** Klett-Archiv (A. Kunz), Stuttgart; **72.3** Klett-Archiv (A. Kunz), Stuttgart; **73.1** Klett-Archiv (A. Kunz), Stuttgart; **73.2** Klett-Archiv (A. Kunz), Stuttgart; **73.3** Klett-Archiv, Stuttgart; **73.4** Klett-Archiv (Clemens Ansorg), Stuttgart; **90.1** Thinkstock (james steidl), München; **90.2** Fotolia.com (Andrey Kiselev), New York; **90.3** Thinkstock (miflippo), München; **90.4** Shutterstock (n7atal7i), München; **90.5** Shutterstock (Tomislav Pinter), New York; **90.6** iStockphoto (RyanJLane), Calgary, Alberta; **90.7** Dreamstime.com (Ivansmuk), Brentwood, TN; **91.1** Shutterstock (Richard Williamson), New York; **91.2** Shutterstock (Tobias Arhelger), New York; **91.3** Shutterstock (NatUlrich), New York; **91.4** Thinkstock (slacroix), München; **91.5** Thinkstock (manfredxy), München; **91.6** Fotolia.com (Carola Vahldiek), New York; **91.7** Thinkstock (xyno), München; **92** imago (Future Image), Berlin; **94.1** iStockphoto (adamkaz), Calgary, Alberta; **94.2** Shutterstock (Samuel Borges Photography), New york; **94.3** Shutterstock (Fotoluminate LLC), New York; **95.1** Shutterstock (Tobias Arhelger), New York; **95.2** Thinkstock (slacroix), München; **95.3** Thinkstock (xyno), München; **95.4** Thinkstock (manfredxy), München; **95.5** Fotolia.com (Carola Vahldiek), New York; **95.6** Shutterstock (Richard Williamson), New York; **97** Shutterstock (eurobanks), New York; **100.1** iStockphoto (klenger), Calgary, Alberta; **100.2** Shutterstock (shalunts), New York; **100.3** iStockphoto (Nikada), Calgary, Alberta; **100.4** Fotolia.com (grafxart), New York; **100.5** Klett-Archiv (E. Schwarz), Stuttgart; **101.1** Shutterstock (Africa Studio), New York; **101.2** iStockphoto (Turnervisual), Calgary, Alberta; **101.3** Klett-Archiv (A. Kunz), Stuttgart; **101.4** Thinkstock (srdjan111), München; **101.5** Thinkstock (Brian Jackson), München; **101.6** Thinkstock (SirichaiAkkarapat), München; **101.7** iStockphoto (AnnBaldwin), Calgary, Alberta; **101.8** Shutterstock (urfin), New York; **101.9** Shutterstock (nogoudfwete), New York; **102.1** © Luftbild Karlsruhe, Heiko Breckwoldt; **102.2** ddp images (ESKQ), Hamburg; **104.1** Klett-Archiv (E. Schwarz), Stuttgart; **104.2** Klett-Archiv (E. Schwarz), Stuttgart; **104.3** Klett-Archiv (E. Schwarz), Stuttgart; **104.4** Klett-Archiv (E. Schwarz), Stuttgart; **104.5** iStockphoto (sack), Calgary, Alberta; **104.6** iStockphoto (TommL), Calgary, Alberta; **104.7** Dreamstime.com (Tupungato), Brentwood, TN; **105.1** Shutterstock (William Perugini), New York; **105.2** Thinkstock (Siri Stafford), München; **105.3** iStockphoto (TriggerPhoto), Calgary, Alberta; **105.4** Shutterstock (Halfpoint), New York; **107.1** iStockphoto (grase), Calgary, Alberta; **107.2** Fotolia.com (Africa Studio), New York; **107.3** Shutterstock (crystalfoto), New York; **110.1** iStockphoto (sinankocaslan), Calgary, Alberta; **110.2** iStockphoto (Ugurhan Betin), Calgary, Alberta; **110.3** Thinkstock (Andy Crawford), München; **110.4** Shutterstock (wiedzma), New York; **110.5** Thinkstock (manu10319), München; **111.1** Thinkstock (ksevgi), München; **111.2** Thinkstock (GrishaL), München; **111.3** Thinkstock (ppart), München; **111.4** Thinkstock (scanrail), München; **111.5** Thinkstock (Zeljko Bozic), München; **111.6** Fotolia.com (M. Schuppich), New York; **111.7** Thinkstock (magehub88), München; **111.8** Thinkstock (Tatiana Nizovtseva), München; **111.9** Shutterstock (Molodec), New York; **112.1** Shutterstock (Africa Studio), New York; **112.2** Thinkstock (Andy Crawford), München; **112.3** iStockphoto (sinankocaslan), Calgary, Alberta; **112.4** iStockphoto (Ugurhan Betin), Calgary, Alberta; **112.5** Thinkstock (ppart), München; **112.6** Thinkstock (Zeljko Bozic), München; **112.7** Thinkstock (magehub88), München; **112.8** Thinkstock (Lalouetto), München; **112.9** Thinkstock (ksevgi), München; **112.10** Fotolia.com (M. Schuppich), New York; **112.11** iStockphoto (evirgen), Calgary, Alberta; **114.1** Thinkstock (EpicStockMedia), München; **114.2** Shutterstock (Jasminko Ibrakovic), New York; **114.3** Shutterstock (Robert Kneschke), New York; **115.1** Robert Haas; **115.2** Carsten Fleck; **117** Klett-Archiv (Renate Weber), Stuttgart; **120.1** Fotolia.com (Do Ra), New York; **120.2** Fotolia.com (Do Ra), New York; **120.3** Fotolia.com (Do Ra), New York; **120.4** Fotolia.com (Do Ra), New York; **121.1** Thinkstock (Siri Stafford), München; **121.2** Thinkstock (Siri Stafford), München; **121.3** Thinkstock (Siri Stafford), München; **121.4** Thinkstock (Siri Stafford), München; **121.5** Thinkstock (Siri Stafford), München; **121.6** Thinkstock (Siri Stafford), München; **121.7** Thinkstock (Siri Stafford), München; **121.8** Shutterstock (Mny-Jhee), New York; **122.1** Thinkstock (Eldad Carin), München; **122.2** Shutterstock (Monkey Business Images), New York; **124** iStockphoto (nullplus), Calgary, Alberta; **125** Klett-Archiv (Elke Körner), Stuttgart; **126.1** Thinkstock (NADOFOTOS), München; **126.2** Thinkstock (gehringj), München; **127.1** Klett-Archiv (Renate Weber), Stuttgart; **127.2** Klett-Archiv (Renate Weber), Stuttgart; **127.3** Klett-Archiv (Elke Körner), Stuttgart; **127.4** Klett-Archiv (Elke Körner), Stuttgart; **127.5** Klett-Archiv (Renate Weber), Stuttgart; **127.6** Klett-Archiv (Renate Weber), Stuttgart; **127.7** Klett-Archiv (Renate Weber), Stuttgart; **127.8** Klett-Archiv (Renate Weber), Stuttgart; **127.9** Klett-Archiv (Renate Weber), Stuttgart; **127.10** Klett-Archiv (Renate Weber), Stuttgart; **127.11** Klett-Archiv (Renate Weber), Stuttgart; **133** VfB Marburg (Said Chtaiki)